Traducción de
ALFONSO COLODRÓN GÓMEZ

LAS IDENTIDADES MÚLTIPLES
DE ORIENTE MEDIO

por

BERNARD LEWIS

SIGLO VEINTIUNO
DE ESPAÑA EDITORES

siglo veintiuno de españa editores ®

siglo veintiuno de argentina editores

Primera edición en castellano, septiembre de 2000

© SIGLO XXI DE ESPAÑA EDITORES, S. A.
 Príncipe de Vergara, 78. 28006 Madrid

Primera edición en inglés (Weidenfeld & Nicolson, Londres), 1998

© 1998, Bernard Lewis
 Título original: *The Multiple Identities of the Middle East*

© De la traducción: 2000, Alfonso Colodrón Gómez

DERECHOS RESERVADOS CONFORME A LA LEY

Impreso y hecho en España
Printed and made in Spain

Diseño de la cubierta: Juan José Barco y Sonia Alins

ISBN: 84-323-1047-6
Depósito legal: M. 35.403-2000

Fotocomposición: EFCA, S. A.
Parque Industrial «Las Monjas»
28850 Torrejón de Ardoz (Madrid)

Impreso en Closas-Orcoyen, S. L. Polígono Igarsa
Paracuellos de Jarama (Madrid)

A Buntzie, un regalo

ÍNDICE

MAPAS

PREFACIO

El núcleo de este libro lo constituyeron tres ponencias que fueron expuestas en Congresos celebrados en Wolfelnbüttel (1989), Roma (1993) y Castelgandolfo (1995). Estas ponencias fueron publicadas en los actos de dichos Congresos. Al ampliar y rehacerlas para este libro, también me he servido de otras conferencias, artículos y comunicaciones para congresos. Debo dar las gracias a los organizadores y editores que me persuadieron para reanudar este tema, y a los participantes, cuyos comentarios y preguntas me ayudaron a depurar y enriquecer mis percepciones sobre estos temas.

Desearía dar las gracias de nuevo a mi ayudante, Annamarie Cerminaro, que con su combinación habitual de habilidad y paciencia mimó mi manuscrito desde su primer borrador hasta el texto final publicado. También me gustaría dar las gracias a Robin Pettinato, que le ayudó enormemente en este proceso.

Por último, una palabra de agradecimiento a dos amigos que tuvieron la amabilidad de leer mi borrador: Buntzie Churchill y Michael Curtis. Les doy las gracias por las sugerencias y aportaciones que acepté y les pido disculpas por aquellas que rechacé. Con ello quedará claro que cualquier error que se haya deslizado será de mi entera responsabilidad.

INTRODUCCIÓN

El título de este libro, como podrá reconocer el lector, ha sido tomado del lenguaje de la psicología o, para ser más preciso, de la psiquiatría. Al escoger este título, no he pretendido sugerir que Oriente Medio * esté padeciendo problemas psicológicos patológicos. Aún menos es mi intención ofrecer ningún tipo de terapia. Lo que quiero transmitir con este título es algo de la complejidad y variedad de las diferentes identidades que pueden tener al mismo tiempo los grupos, incluso más que los individuos: el cambio y la evolución constantes de identidad de Oriente Medio y de las formas en que se perciben los pueblos de la región, así como de los grupos a los que pertenecen y de la diferencia entre yo y el otro. Incluso en el mundo occidental existen identidades múltiples. Desde la fundación del Reino Unido, todos sus habitantes han tenido al menos tres identidades: por nacionalidad, como ciudadano británico, y posteriormente como ciudadano del Reino Unido; por lo que hoy día se llama pertenencia a una etnia, como miembro de uno o más de los cuatro componentes nativos de esa nacionalidad —inglesa, escocesa, galesa e irlandesa— y por religión. En la actualidad, se ha ampliado mucho el alcance de la pertenencia a una etnia y a una religión dentro de la misma nacionalidad británica, y los subgrupos están cada vez más mezclados. Aún más mezclados lo están en Estados Unidos, donde cada ciudadano, además de la ciudadanía estadounidense, posee igualmente otras identidades, definidas por la raza, el origen étnico y, frecuentemente, por sus orígenes y su religión personal o la de sus antepasados.

---

* Sobre el término 'Oriente Medio', el autor lo explica dentro del texto. Él utiliza *Middle East*. Cuando se refiere a los países más próximos a Europa, utiliza la expresión *Near East [N. del T.]*.

Al igual que Estados Unidos, Rusia abarca también muchos grupos étnicos que no han sido adquiridos por inmigración, sino por conquista y anexión. Francia y España poseen minorías regionales importantes; algunas de ellas, como los bretones y los vascos, conservan una lengua que es totalmente diferente del idioma nacional oficial. Pero estas minorías son indígenas, se hallan establecidas desde hace tiempo y, por ello, no acusan diferencias culturales o religiosas significativas respecto a las mayorías dominantes. En otras partes de Europa, las minorías étnicas han sido hasta ahora pequeñas, poco numerosas y carentes de un estatus legal o político e incluso de reivindicaciones.

Esta situación ha cambiado espectacularmente hoy día, porque la inmigración de millones de recién llegados ha creado nuevas minorías. Éstas son numerosas, están muy dispersas y se diferencian de la población mayoritaria nativa desde el punto de vista étnico, lingüístico, cultural, religioso y, a menudo, incluso racial. Naturalmente, traen consigo sus propios conceptos y percepciones de identidad, que pueden diferir significativamente de los de Europa y Occidente. Ambos términos, "Europa" y "Occidente", son de hecho europeos y occidentales y, hasta el siglo XIX, no tenía sentido, o tenía muy poco, en otras partes del mundo, especialmente en Oriente Medio. Lo mismo puede decirse de los términos "Asia" y "África".

Europa es un concepto europeo, concebido en Grecia, alimentado en Roma, que actualmente, tras una larga y dificultosa infancia y adolescencia durante los siglos de los reinos cristianos, está llegando a la madurez en una comunidad laica y supranacional. Asia y África constituyen también ideas europeas, formas europeas de descubrir al Otro. Todos los grupos humanos poseen términos, a menudo despectivos, para designar a aquellos que no pertenecen al grupo. Algunos de estos términos han adquirido un significado casi universal. Los bárbaros eran originalmente "no griegos"; los gentiles son "no judíos"; los asiáticos y los africanos son "no europeos", y sus respectivos Continentes marcan las fronteras de Europa, tal como la perciben los europeos en el Este y en el Sur.

Durante la larga lucha entre la Cristiandad y el Islam, estas fronteras cambiaron muchas veces. Por supuesto, los bárbaros no se consideraban a sí mismos como bárbaros, ni los gentiles se percibían como gentiles hasta que se les enseñó a verse a sí mismos, mediante los procesos de helenización y cristianización, bajo esta luz ajena. La helenización de los bárbaros tuvo lugar en la Antigüedad; la cristianización de los gentiles, en la Edad Media. La toma de conciencia entre asiáticos y africanos de esta identidad definida por Europa data principalmente de la Edad Moderna, en la que los gobernantes, maestros y predicadores europeos les enseñaron esta clasificación. Hoy día, la invención griega de los tres Continentes del Viejo Mundo ha sido universalmente aceptada. El ingenio y empuje de los exploradores y geógrafos mayoritariamente europeos han añadido algunos más.

"Oriente Medio" es obviamente un término occidental y data de principios de este siglo. Constituye un testimonio sorprendente del anterior poder y de la influencia continua de Occidente el hecho de que este término limitado, significativo sólo desde la perspectiva occidental, haya llegado a ser utilizado en todo el mundo. Es incluso utilizado por los pueblos de la región para describir su propia tierra natal. Esto es extraordinario en una época de autoafirmación nacional, comunal y regional, que adopta principalmente una forma antioccidental.

En el interior de cada sociedad existen identidades múltiples, cada una con variantes y con algunas subdivisiones conflictivas. Estas identidades pueden ser sociales y económicas: por estatus, clase social, ocupación y profesión. La edad y el género proporcionan dos de los principales elementos delimitadores de la identidad; igualmente las proporcionan los contrastes entre civil y militar, laico y eclesiástico y otros similares. En la Biblia (Génesis 4), la historia del primer enfrentamiento y del primer asesinato se relata sobre un fondo de rivalidad socioeconómica. «Fue Abel pastor de ovejas y Caín labrador.» Ambos llevaron ofrendas a Dios, uno, «de los frutos del suelo», el otro, «de los primogénitos de su rebaño». Dios prefirió la segunda, y Caín, irritado y envidioso, «se lanzó contra su hermano Abel y lo mató». La rivalidad entre los pastores nómadas y los campesinos es un tema recurrente a lo largo de la historia de Oriente Medio y, en muchas partes de la región, el conflicto de intereses entre los dos sigue siendo aún importante en la actualidad.

En el Génesis, el agricultor mata al nómada; con más frecuencia, en la historia de Oriente Medio ha sucedido al revés. Posteriormente, con el crecimiento de las ciudades surgió un enfrentamiento más sofisticado de identidades y lealtades: entre la ciudad y el campo, y entre los diversos barrios de la ciudad, que han combinado a menudo identidades étnicas, comunales y profesionales. En los imperios más grandes, como los de los califas, las identidades y las lealtades regionales podían adquirir una importancia social y cultural, pero rara vez política. Los conflictos económicos y sociales tienen una importancia obvia en el desarrollo de las identidades y lealtades dentro de una sociedad. Pero, salvo raras excepciones, tienen poco o ningún efecto en la realidad o incluso, hasta muy recientemente, en la percepción de las diferencias entre sociedades. El único gran intento de forjar una identidad y solidaridad supranacionales basadas en la clase obrera encalló en los escollos del nacionalismo ruso y de los intereses del Estado soviético.

Las diferencias de género ejercen obviamente una inmensa influencia cultural y social sobre la evolución de las actitudes y de las identidades en cualquier sociedad; en el Oriente Medio de dominación masculina, sólo ahora están empezando a ejercer un impacto político.

En Oriente Medio, como en cualquier otro lugar, las fuentes literarias históricas muestran que las personas no consideraban que la definición básica de su propia identidad, la línea divisoria entre yo y el otro, se basase en diferencias sociales o económicas, ni tampoco generacionales ni de género. La identidad era determinada —o lo ha sido hasta ahora— por criterios más tradicionales.

Las identidades primarias son aquellas que se adquieren en el momento de nacer. Éstas son de tres clases. La primera se basa en la sangre, es decir, el orden ascendente —la familia, el clan, la tribu— y se desarrolla hasta constituir la nación étnica. La segunda se basa en un lugar y, frecuentemente, aunque no necesariamente, coincide con la primera y, a veces, entra de hecho en conflicto con ella. El lugar puede ser el pueblo o el vecindario, el distrito o el barrio, la provincia o la ciudad, que evolucionan en la actualidad hasta constituir el país. La tercera, a menudo vinculada con la primera o la segunda, o con ambas, es la comunidad religiosa, que puede ser subdividida en sectas. Para muchos, la religión es la única lealtad que transciende los vínculos locales e inmediatos.

La segunda gran categoría gira en torno a la lealtad a un gobernante; en el pasado, habitualmente a un monarca hereditario. Esta identidad se adquiere normalmente por nacimiento. Puede cambiarse por anexión, transferencia de poder o, desde el punto de vista individual, por migración y, en la actualidad, por naturalización. Se expresa en la obediencia debida por el súbdito al soberano y a sus múltiples representantes, en los diversos niveles en los que un súbdito vive su vida: la cabeza del Estado o de un Departamento, el gobernador de una provincia o de una ciudad, el administrador de un distrito, el alcalde de un pueblo.

En la mayor parte del mundo, y durante la mayor parte de la historia de Oriente Medio, estas dos identidades —la identidad involuntaria del nacimiento y la identidad obligatoria del Estado— eran las dos únicas que existían. Hoy día, bajo la influencia de Occidente, se está desarrollando entre las dos una nueva clase de identidad: la cohesión escogida libremente y la lealtad a asociaciones voluntarias, que se combinan para formar lo que actualmente se conoce como sociedad civil.

1. DEFINICIONES

Oriente Medio es una región de identidades antiguas y profundamente arraigadas, que en los tiempos modernos ha experimentado cambios cruciales. El estudio, e incluso la percepción de estas identidades, se vuelve más complejo y difícil por el hecho de que nosotros las percibimos, pensamos y hablamos de ellas en una lengua tomada de otra sociedad, que tiene diferentes sistemas de identidad grupal; en un grado creciente esto les ocurre incluso a los pueblos de Oriente Medio. Yo escribo esta obra en inglés, que es una lengua occidental, pero el mismo problema surgiría si lo estuviera escribiendo en árabe o en otra lengua viva de Oriente Medio. El lenguaje del discurso político contemporáneo en la región es occidental, aunque se utilicen palabras locales. Algunas de estas palabras, como "democracia" o "dictadura", constituyen préstamos o neologismos inventados para traducir términos occidentales; otras, como "gobierno" o "libertad", son palabras antiguas a las que se ha infundido nuevos significados. Esto es así para gran parte del lenguaje utilizado hoy día en Oriente Medio en el debate público. Y especialmente lo es para el lenguaje ordinario sobre la identidad y la lealtad políticas, que proceden principalmente de la experiencia histórica de Europa.

Pero las viejas realidades no desaparecen. En conflictos con el extranjero intruso, con independencia de cómo se le perciba y defina, y en luchas entre grupos o identidades rivales dentro de una misma sociedad, las palabras nuevas se utilizan a veces con significados viejos, y las palabras viejas conservan o recuperan su contenido original.

Por esta razón, puede ser útil examinar de nuevo estos diversos términos e intentar redefinirlos en un sentido que esté más de acuerdo con el legado del pasado de Oriente Medio y las realidades de su presente. Nacionalidad y ciudadanía, nacionalismo y patriotismo son palabras nuevas en Oriente Medio, inventadas para nombrar los conceptos. Nación, pueblo, país, comunidad y Estado son viejas palabras, pero son palabras de contenido inestable y, por ello, explosivas. Para complicar más el asunto, puede decirse lo mismo incluso de los nombres de determinadas entidades territoriales, comunales, nacionales y étnicas.

En enero de 1923, como parte del acuerdo definitivo entre los diversos Estados que sucedieron al Imperio otomano y los Aliados victoriosos, los gobiernos de Grecia y Turquía acordaron y firmaron un convenio y un Protocolo en los que se estipulaba un intercambio obligatorio de minorías entre los dos países. Se exceptuaban dos zonas: la ciudad de Estambul en Turquía y la provincia de Tracia occidental en Grecia. En las demás partes, las minorías no tenían otra elección, en virtud del acuerdo de los dos gobiernos, que abandonar sus hogares y reinstalarse en el país de su presunta identidad. El primer artículo del acuerdo especificaba, además, que a ninguna persona así transferida se le permitiría regresar a su hogar anterior: ni a Turquía sin el permiso del gobierno turco, ni a Grecia sin el permiso del gobierno griego.

Este asunto se consideró sin duda alguna urgente. El Protocolo de Lausanne tenía fecha de 30 de enero de 1923; las transferencias tenían que empezar el 1 de mayo del mismo año. Entre 1923 y 1930, se calcula que un millón y cuarto de griegos fueron enviados de Turquía a Grecia y un número algo menor de turcos, de Grecia a Turquía. Al menos, es así como se describe en casi todos los informes sobre este intercambio. Sin embargo, esto no es lo que se estipulaba en el Protocolo, que mencionaba a las personas a intercambiar como «súbditos turcos de religión ortodoxa griega residentes en Turquía y súbditos griegos de religión musulmana residentes en Grecia».

Un examen más detallado de lo que sucedió en realidad a los cientos de miles de supuestos griegos y turcos que fueron "repatriados" confirma la exactitud con la que la redacción del Protocolo refleja las percepciones e intenciones de aquellos que lo redactaron y lo firmaron. Cualquiera que visite la provincia de Karamania, en la Anatolia turca, de la que muchos griegos fueron enviados a Grecia, encontrará huellas de su anterior presencia: iglesias y cementerios con inscripciones y caracteres en griego. Pero una mirada más atenta revelará que, aunque el alfabeto es griego, el lenguaje es frecuentemente turco. Los "griegos" de Karamania eran sin duda griegos, en el sentido de que eran miembros de la Iglesia ortodoxa griega, pero la lengua que utilizaban entre sí y con los demás era el turco, que, no obstante, escribían en caracteres griegos y no con los caracteres árabes utilizados por sus vecinos musulmanes. Por supuesto, esta escritura la utilizaban sus homólogos que venían de Grecia, la minoría musulmana de habla griega procedente de Creta y de otros lugares de Grecia, la mayoría de los cuales sabía muy poco o nada de turco, pero hablaban griego y, a veces, escribían en árabe-turco.

Esta asociación de escritura y religión —para ser más precisos, de escritura y Escrituras Sagradas— era el patrón común de Oriente Medio. Durante más de 1.000 años, desde la arabización y modernización de Siria, cristianos, musulmanes y judíos hablaban y escribían árabe en ese país, pero los musulmanes escribían en árabe, los cristianos en siriaco y los judíos en hebreo, utilizando cada una de las comunidades la forma de escritura que había sido santificada por sus libros sagrados y que era exigida para el culto. El clero y, en general, las personas cultas solían conocer la lengua así como la escritura de los libros sagrados, pero a la mayoría de las personas ordinarias les bastaba el alfabeto y lo utilizaban para escribir sus lenguas vernáculas. Con excepción de una pequeña élite culta, los griegos de Karamania no aprendieron griego hasta llegar a Grecia; a su vez los turcos de Creta no aprendieron turco hasta que fueron reasentados en Turquía. Por ambos lados se produjeron problemas de aculturación y asimilación.

Un observador occidental, acostumbrado a un sistema diferente de clasificación, podría muy bien llegar a la conclusión de que lo que se acordó y se llevó a cabo por parte de los gobiernos de Grecia y Turquía no fue un intercambio y una repatriación de minorías nacionales o étnicas, sino, más bien, dos deportaciones al exilio de minorías religiosas: de musulmanes griegos a Turquía y de cristianos turcos a Grecia.

Incluso los términos utilizados —griegos y turcos, Grecia y Turquía— presentan algunos misterios. La palabra utilizada por los turcos, y más generalmente por los musulmanes en Oriente Medio, para designar a los griegos es *rûm*. Pero *rûm* no significa griegos; *rûm* significa romanos, y la utilización de este término, en primer lugar por los mismos griegos, y después por sus nuevos amos musulmanes, se hace eco de los recuerdos del pasado de soberanía y grandeza políticas: el Imperio bizantino. "Bizantino" es, por supuesto, un término académico moderno. Los bizantinos nunca se llamaron a sí mismos bizantinos, lo mismo que los antiguos británicos o anglosajones tampoco se llamaron a sí mismos antiguos británicos ni anglosajones. Para sus gobernantes y sus súbditos, el Estado que se extinguió finalmente en 1453 fue el Imperio romano. Su capital se hallaba en Constantinopla, no en Roma; su lengua era el griego y no el latín. Pero era el heredero legítimo de la Roma imperial, y sus habitantes se llamaban a sí mismos romanos, si bien es cierto que en griego. Para los otomanos, el término *rûm* designaba al Imperio romano oriental, que habían conquistado y sustituido al Imperio en el que el griego era la lengua oficial y la ortodoxia griega era la Iglesia establecida. Por ello, bajo el gobierno otomano, los *rûm* se alinearon al principio entre las comunidades no musulmanas (*millet*). Los occidentales, obsesionados con los recuerdos de un pasado más antiguo, llaman griega a esa comunidad o, posteriormente, al modo neoclásico, helénica; pero, para los cristianos y musulmanes del Imperio todavía era romano y, en algún sentido, incluso imperial, incluidos los serbios ortodoxos, los búlgaros, los albaneses y los árabes, así como a los griegos étnicos. El nacimiento de los movimientos nacionalistas entre los pueblos balcánicos en el siglo XIX tuvo que librar una batalla en dos frentes, por tener que intentar eliminar al mismo tiempo la ascendencia de los griegos étnicos dentro de su Iglesia y, al mismo tiempo, el dominio de los turcos otomanos sobre sus respectivas tierras natales.

El término "turcos-otomanos" suscita dificultades parecidas. La lengua oficial del Imperio otomano se conocía normalmente como turco, pero sus habitantes no se llamaban a sí mismos turcos ni llamaban a su país Turquía. Las palabras turco y Turquía se han utilizado en Europa al menos desde el siglo XII, pero no eran utilizadas por los turcos en Turquía. En vez de ello, éstos designaban el país que gobernaban en términos religiosos, como tierras del islam;

en términos dinásticos, como reinos otomanos; o, cuando se necesitaba una definición territorial más precisa, con el nombre heredado de sus predecesores y del Imperio: El país de *Rûm*. El término "Turquía" no se adoptó oficialmente como nombre del país hasta después del establecimiento de la República en 1923. Incluso en Europa, la palabra "turco" tenía principalmente una connotación religiosa. Incluía a los otomanos y, a veces, incluso a otros musulmanes pertenecientes a múltiples grupos lingüísticos y étnicos. No incluía a los habitantes cristianos ni judíos del reino otomano, aunque, como sucedía en muchas regiones, hablasen turco. Por contraste, se decía que un europeo convertido al islam se había "vuelto turco", aunque la conversión hubiera tenido lugar en Irán o en Marruecos.

En general, los términos religiosos y étnicos se confundían normalmente en ambas orillas del Mediterráneo, la cristiana y la musulmana. Tanto cristianos como musulmanes no querían aplicar términos explícitamente religiosos al otro, ya que eso suponía admitir el hecho de la existencia de una religión universal rival. Durante mucho tiempo, los cristianos europeos no utilizaron denominaciones religiosas como "musulmán" o "islam" *. A veces, utilizaron el término inadecuado y erróneo de mahometano, acuñado por analogía respecto al término cristiano. Con más frecuencia, se refirieron a los musulmanes con términos étnicos como moro, sarraceno, turco y tártaro. Los escritores musulmanes de los tiempos premodernos no se mostraban tampoco muy inclinados a utilizar el término religioso "cristiano", y preferían describir a los pueblos de Europa, bien mediante el término vago y general de "infieles" o, más comúnmente, por términos étnicos como romano, franco o eslavo. Hay que insistir en que estos tres términos poseen en el uso musulmán una connotación religiosa más que étnica y denotan una identidad que puede adquirirse o abandonarse mediante la conversión religiosa. Cuando se necesita una denominación específicamente religiosa para cristianos, habitualmente se les llamaba *nasarânî* (en plural, *nasârâ),* nazarenos, es decir, seguido-

---

* Islam, con minúscula, se referirá a lo largo del texto a la religión; Islam, con mayúscula, a la cultura y civilización islámicas *[N. del T.].*

res de Jesús de Nazaret. En el Protocolo otomano y en el árabe moderno, el término *masîhî,* traducción literal de "cristiano" (del árabe, *masîh* = mesías hebreo = *Khristos* griego, ungido) es el término cortés.

La importancia relativa de la religión y del país en la visión tradicional musulmana del mundo puede verse en el encabezamiento de las cartas enviadas a la reina Isabel I de Inglaterra por un gobernante musulmán, el sultán otomano Murat III. Todas estas cartas empiezan con los siguientes títulos:

> Orgullo de las matronas virtuosas de los seguidores de Jesús, matriarca de las honorables damas de la comunidad cristiana, moderadora de los asuntos de la secta nazarena, que arrastra tras sí los séquitos de la nobleza y de la dignidad, señora de los signos de grandeza y gloria, reina de la tierra de Inglaterra, que pueda su vida tener buen término.

La Reina, como podrá observarse, es definida en primer, segundo y tercer lugar como jerarca cristiana y sólo en cuarto lugar como gobernante del territorio llamado Inglaterra. Algunos documentos son más concretos y la definen como jefa de los cristianos "luteranos". La palabra turca traducida como "tierra" en estos títulos es *vilâyet*, que tiene la connotación de provincia o área administrativa más que de país en un sentido actual. Los términos turcos para designar "rey" y "reina" son de origen europeo y en ninguna circunstancia se aplican a los monarcas turcos ni musulmanes. Su utilización en los documentos turcos para los gobernantes cristianos europeos guarda un exacto paralelismo con el uso de los títulos nativos para los príncipes nacidos en la India británica. No es sorprendente que se convirtiera en un asunto de honor entre los monarcas europeos el pedir que los sultanes les otorgaran los mismos títulos —y, por tanto, el estatus— que reivindicaban para sí. A medida que los otomanos se debilitaron, y se fortalecieron los poderes europeos, los sucesivos monarcas europeos —reyes o reinas— exigieron que en el encabezamiento de los documentos otomanos se pusiera el propio título del sultán, *padishah*.

El occidental moderno y secularizado tiene gran dificultad en comprender una cultura en la que ni la nacionalidad, ni la ciudadanía, ni la descendencia, sino la religión, o más precisamente la pertenencia a una comunidad religiosa, es el determinante esencial de la identidad. Durante más de 100 años, gran parte de Oriente Medio ha permanecido bajo el hechizo de Europa: al principio, influencia, después, dominio, y, por último, cuando finalizó este dominio, de nuevo influencia. Durante este tiempo, las ideas occidentales de autodeterminación nacional han afectado profundamente a todos sus pueblos, musulmanes o no. Sin embargo, incluso hoy día, las viejas solidaridades y lealtades comunales siguen constituyendo un factor poderoso y, a veces, determinante. Puede observarse este hecho no sólo en los países musulmanes, sino también en otros países que durante mucho tiempo formaron parte del Imperio otomano y que han conservado, incluso después de alcanzar su independencia, muchas huellas de las percepciones y de las prácticas otomanas.

Basten dos ejemplos recientes. Uno de ellos procede de Grecia, actualmente miembro de la Unión Europea, dentro de la cual los ciudadanos de los Estados miembros pueden viajar libremente, utilizando carnets de identidad y sin necesidad de pasaportes. El gobierno griego se enfrentó con la autoridad europea de Bruselas por la mención de la religión en los carnets de identidad griegos. Ningún otro país europeo contiene dicha mención y esto se consideró contrario a la práctica democrática europea. Pero los griegos insistieron, argumentando que la religión es una parte esencial de su identidad.

Un ejemplo más grave y más trágico puede verse en la antigua Yugoslavia. El gobierno otomano nunca abarcó la totalidad de ese país y finalizó a principios de este siglo. Sin embargo, los recientes y actuales conflictos entre los yugoslavos constituyen en un sentido muy real una continuación de las amargas luchas que marcaron la agonía del Imperio otomano. Observadores y comentaristas occidentales habitualmente describen las relaciones complejas entre serbios, croatas y musulmanes en términos de nacionalidad y hablan de conflictos y de limpieza étnica. En los días en los que Yugoslavia era gobernada por una dictadura marxista y comunista, la religión no tenía lugar en la taxonomía política del país. Pero incluso el régimen comunista se vio obligado a reconocer la identidad separada de los musulmanes. Lo hicieron, distinguiendo entre musulmán con una *m* minúscula, que designaba una religión y Musulmán, con *M* mayúscula, que designaba una "nacionalidad" reconocida entre aquellos que formaban la Federación yugoslava.

Considerando lo que se ha hecho y dicho en Bosnia, puede uno preguntarse si términos como "nacional" y "étnico" tienen mucha relevancia. Étnicamente, los tres grupos principales, serbios, croatas y musulmanes, son muy parecidos. La lengua que utilizan también es bastante semejante, aunque, conforme a la vieja práctica de Oriente Medio, los serbios ortodoxos la escriben en caracteres cirílicos, los croatas católicos en alfabeto latino y, hasta el siglo actual, los bosnios musulmanes se servían de la escritura árabe. Este mismo tipo de confusión y conflicto que surge de identidades que se solapan, aunque también se contrastan, y que se basan en la ciudadanía, en la comunidad y en la etnia, puede verse de una forma u otra en muchos países de Oriente Medio.

El observador occidental actual, incluso en países en los que la separación de la Iglesia del Estado no está recogida por la ley, ya no otorga una importancia fundamental a la identidad religiosa; por ello, tiene dificultad en captar que los demás todavía puedan otorgársela y tienden a ver —o a buscar— una explicación no religiosa a conflictos ostensiblemente religiosos. Por supuesto, existen excepciones en Occidente, algunas de ellas obvias, como el conflicto entre protestantes y católicos en Irlanda del Norte. Pero incluso éste se describe en general, principalmente por quienes no participan en él, en función de la nacionalidad y no de la religión, como un simple conflicto entre británicos e irlandeses. Los periodistas occidentales, al intentar hacer inteligibles las complejidades de las guerras civiles libanesas a los lectores occidentales, caen en el hábito de hablar de "cristianos de extrema derecha" en conflicto con "musulmanes de extrema izquierda", como si la disposición de asientos según la ideología de la Asamblea Nacional Francesa Revolucionaria de 1789 tuviera alguna relevancia para las luchas sectarias que están desgarrando el Líbano. Sin duda, esta terminología occidental no puede describir, y mucho menos explicar, un conflicto en el que, por referirse mayoritariamente a situaciones domésticas, las facciones rivales se definirían a sí mismas más como católicas u ortodoxas que como cristianas, y sunníes o chiíes, en vez de musulmanas, y cualquiera de estos calificativos antes que libanesas.

En el Protocolo de Lausanne de 1923, las personas que debían ser transferidas se identifican según dos categorías: como miembros de una religión y como ciudadanos de un Estado. En Oriente Medio, la primera de ellas está establecida desde antiguo y es universalmente entendida y aceptada; la segunda, al menos en su forma actual, es nueva. En el mundo occidental, los documentos de identidad emitidos para viajar solían definir a sus titulares como súbditos de tal o cual monarca y, posteriormente, como ciudadanos de tal o cual república. Actualmente, el término ciudadano ha sustituido al de súbdito, incluso en las monarquías que aún perduran. Ambos términos señalan al Estado, al que los individuos deben lealtad y, con ciertos límites precisos, obediencia, y del que recibe a su vez protección.

Para designar esta relación se utilizan diversos términos. En inglés, tanto británico como americano, la palabra comúnmente utilizada es *nationality*, que básicamente significa lo que está escrito en un pasaporte. *Nationalité* en francés y sus equivalentes en otras lenguas europeas se utilizan del mismo modo. Pero no en todas. El término alemán *Nationalität* y el ruso *natsional'nost* expresa una nacionalidad étnica y cultural, pero no legal y política. Para este tipo de nacionalidad, utilizan otras palabras: *Staatsangehörigkeit*, perteneciente al "Estado", en alemán, y *grazdanstvo*, "ciudadanía", en ruso. El lenguaje legal inglés todavía no posee un término aceptado para designar este tipo de identidad étnica y cultural dentro de una nacionalidad. Hace medio siglo, todavía era práctica común referirse a los cuatro componentes de la nacionalidad británica —inglés, escocés, galés e irlandés— como "razas", pero los cambios de contenido y el impacto de esta palabra han hecho inaceptable su utilización. Incluso dentro de Europa existen, pues, variantes significativas de terminología y uso. La diversidad —y las posibilidades de confusión— se hace más grande en las regiones en las que toda la terminología se tomó a veces prestada, y a veces fue impuesta, pero siguió siendo foránea para gran parte de la población.

La palabra occidental moderna más común para designar la identidad y lealtad políticas es, por supuesto, ciudadanía. Curiosamente, las lenguas de Oriente Medio no poseen, o no han poseído hasta muy recientemente, palabras para designar "ciudadano" o "ciudadanía". El término persa moderno *shahrvand*, que procede de *shahr*, ciudad, constituye una traducción obviamente prestada. Las palabras comúnmente utilizadas como equivalentes de ciudadano, *muwâtin* en árabe, *vatandas* o *yurttas* en turco, *hamvatan* en persa, significan literalmente compatriota, alguien que es del mismo *watan* o país. El hebreo moderno sigue unas pautas similares utilizando *ezrah* y *ezrahût*, para ciudadano y ciudadanía respectivamente. *Ezrahût* es nuevo. *Ezrah* aparece muchas veces en *Éxodo* (12: 19, 48, 49), *Levítico* (16: 29; 17: 15; 18: 26; 19: 34; 24: 16, 22) y en *Números* (9: 14; 15: 13-15, 29, 30), citas que normalmente se oponen a *gêr*, el extranjero o "residente entre vosotros". *Ezrah* se traduce habitualmente en la versión autorizada como "alguien del propio país" o, a veces, "de la propia nación". Otras variantes son "alguien nacido entre vosotros" y "alguien nacido en el país". Puede señalarse de paso que la intención principal de estos pasajes es insistir en que al forastero o residente se le otorga sin discriminación el mismo tratamiento que al nacido en la propia tierra.

El término común del lenguaje islámico clásico para súbditos del Estado fue *ra'iyya*, que literalmente significa rebaños o manadas, expresión de la imagen pastoril del gobierno común a las tres religiones de Oriente Medio y, sin duda, también a otras. En el uso otomano, el mismo término, habitualmente en plural, *re'aya*, llegó a designar a la gran masa general de población que paga impuestos, como algo opuesto a los estamentos religioso, militar y gubernamental. En principio, este término incluía tanto a los habitantes de la ciudad como a los campesinos —musulmanes y no musulmanes—, pero, desde finales del siglo XVIII y, más específicamente, durante el siglo XIX, su aplicación se vio limitada en la práctica a los nuevos musulmanes, principalmente a los súbditos cristianos del Imperio. La palabra llegó al inglés en dos variantes: *rayah*, procedente de los viajeros occidentales por los territorios otomanos, y *ryot*, procedente de la India gobernada por los musulmanes, donde se convirtió en el término general para designar a un campesino.

Los procesos de occidentalización de los territorios de Oriente Medio añadieron algunos términos nuevos. El término administrativo otomano (también persa) *tabi*, "subordinado" o "dependiente", adquirió el sentido de "súbdito", y de aquí *tabiiyet*, la condición de súbdito o, en otras palabras, lo que en inglés [español] moderno podría ser "nacionalidad" o "ciudadanía". Esto se expresa en árabe moderno con un término diferente, *jinsiyya*, un nombre abstracto que deriva de *jyns*. Esta palabra, que está posiblemente relacionada con el término latino *gens*, ya se utilizaba en árabe clásico y, en diversos contextos, podría indicar tipo, especie, clase, raza, nación, sexo o, en el sentido gramatical original de la palabra, género. La palabra "ciudadano" (en latín, *cives*, en griego, *polites*), que deriva del concepto grecorromano de ciudad y quienes participan de ella, encarna una tradición política totalmente diferente y, por ello, semántica, para la que no existe siquiera una terminología aproximadamente equivalente. Sin embargo, es sin duda significativo que el término "compatriota", utilizado para sustituir al de "ciudadano", tenga relación con otro concepto de identidad y de lealtad, que se expresa con términos como "país", "patria" y "patriotismo". En su sentido político, aquél también es de origen foráneo y ha sufrido muchas transformaciones en Oriente Medio.

En Oriente Medio, incluso más que en ninguna otra parte, la identidad grupal se centra a menudo en los recuerdos compartidos de un pasado común: en memorias que se consideran cruciales en la historia registrada, recordada o, a veces, imaginada.

Para dos de las naciones de la región, la turca y la iraní, su identidad constituye en sí misma esa memoria, y no necesitan un punto focal específico. Su sentido de solidaridad grupal descansa en la base sólida del país, se halla sostenida por una conciencia común de pertenecer a una nación y es mantenida mediante signos de pertenencia a un Estado independiente y soberano. Los turcos y los persas poseen muchos recuerdos de sus pasados nacionales, algunos recordados con amargura y otros con orgullo. Los recuerdos de orgullo más recientes son seguramente las revoluciones de ambos países, que establecieron la República laica en Turquía y la República islámica en Irán. Las dos han influido en la forma en que turcos y persas ven su propia identidad dentro y fuera de sus respectivos países.

Entre las demás naciones de la región, en donde, hasta la Era Contemporánea, faltaban a menudo los apoyos materiales y los atributos políticos que confieren la condición de nación, la memoria histórica adquiere incluso una mayor importancia a la hora de definir la identidad. Para los israelíes, y también para otros judíos, dos acontecimientos definen su identidad moderna. El primero fue el exterminio planificado, y casi ejecutado, de los judíos de la Europa continental, que desde los años sesenta ha llegado a conocerse como el Holocausto. El segundo, en muchos aspectos consecuencia directa del primero, fue el establecimiento del Estado de Israel en 1948, que se considera desde la perspectiva judía un retorno a Sión y una reconstrucción de la antigua nación judía en su tierra natal. Para los creyentes, se trataba del cumplimiento de la profecía: «Un resto de él [tu pueblo, Israel] volverá» (Isaías 10: 20-22).

Para los palestinos y, en general, para los árabes, esto no fue el cumplimiento de la profecía, sino una usurpación. El nacimiento de Israel y el fracaso en impedir o abortar ese nacimiento, con el consiguiente sufrimiento para los palestinos y la humillación para los demás árabes, fue el momento determinante de la historia árabe contemporánea y el punto de partida de toda una serie de cambios culturales, sociales y, en última instancia, políticos. Entre los árabes, ha llegado a conocerse como el *nakba*, o desastre. El término es un eco del anterior *nahda* —restablecimiento o renacimiento— utilizado para designar el nuevo despertar de la creatividad y de la conciencia árabe de su propia identidad, tras largos siglos de sueño e inacción bajo el dominio extranjero.

A veces no es un acontecimiento ni un lugar el que sustenta la propia toma de conciencia nacional, sino el recuerdo de una sola persona, cuyos logros constituyen una fuente de orgullo para todos aquellos que pueden reclamar una identidad compartida con él. Un ejemplo de esto lo constituye el gran dirigente medieval de la Contracruzada, un famoso héroe de muchas historias y leyendas: el poderoso Saladino, que derrotó a los cruzados capitaneados por Ricardo Corazón de León, rey de Inglaterra, y recuperó Jerusalén, que estaba en manos de los cristianos. Hasta la Edad contemporánea, Saladino había sido simplemente un héroe musulmán, y todos los musulmanes podían enorgullecerse de sus victorias. En los tiempos que corren, eso ya no ha bastado y se han hecho esfuerzos para colgarle una etiqueta étnica o nacional. Lo han reivindicado como turco, como árabe y como iraquí. En algún sentido, todas estas reivindicaciones tienen cierta validez. Saladino llegó a la más alta jerarquía del mando en una institución militar predominantemente turca. Realizó su carrera íntegramente en países de cultura y lengua árabe, y sus historiadores y panegiristas escribieron sólo en árabe. Nació en Takrit, lugar de nacimiento de Saddam Hussein, en Irak, y se hizo adulto en lo que es actualmente Siria. De allí se trasladó a Egipto. No obstante, si hubiera que adscribirle una identidad étnica, no sería ninguna de ellas. Por los datos de su pasado familiar preservados por los historiadores, es claro que Saladino era kurdo y miembro de una familia kurda. Este hecho, que anteriormente constituía un detalle menor, ha adquirido actualmente una nueva relevancia.

Desde hace algún tiempo, nos hemos acostumbrado en el mundo occidental a actuar basándose en la presunción de que el determinante esencial de la identidad y de la lealtad, a efectos políticos, es lo que llamamos alternativamente nación o país. Estos términos son casi sinónimos en su acepción americana, aunque no europea. En la mayoría de las lenguas europeas, incluido el inglés, existen diferencias, aunque hay zonas de coincidencia. Como suele hacer la mayoría de los seres humanos, todos tendemos a dar por sentado que nuestras costumbres locales son leyes naturales. Pero no lo son. La práctica de clasificar a los pueblos en naciones y países, y hacer de ello la base fundamental de la identidad política institucional, hasta muy poco fue algo limitado a Europa occidental y a las regiones colonizadas y pobladas por europeos occidentales. En nuestra propia época, esta forma de considerar a los pueblos se ha impuesto sobre la mayoría del resto del mundo, o ha sido adoptada como consecuencia de diversas circunstancias. En muchos países, entre los que se cuentan los países de Oriente Medio, estos conceptos son completamente nuevos, pero se han aclimatado imperfectamente e incluso hoy día, no son en absoluto aceptados en general, al menos, no en el sentido en el que se entienden y se llevan a efecto en sus países de origen.

Por supuesto, siempre han existido naciones y países en Oriente Medio, como en cualquier otra parte. Había países, es decir, lugares; había naciones, es decir, pueblos. Las naciones, y a veces

también los países, tenían nombres y formaban parte de la vida cotidiana. Pero ni la nación ni el país se consideraban como un elemento fundamental, y ni siquiera significativo, para determinar la
identidad política y dirigir la lealtad política. En Oriente Medio,
éstas se establecían tradicionalmente sobre bases muy diferentes.
La identidad se expresaba en la religión que también la determina-
ba y, de hecho, significaba comunidad; la lealtad se debía al Estado
que, en la práctica, significaba el soberano y la élite gobernante.

En la confrontación que duró varios siglos entre los Estados de
Europa y el Imperio Otomano, los europeos siempre consideraron
y debatieron sus relaciones como austriacos, franceses, alemanes,
ingleses y otras nacionalidades contra los turcos; los turcos las consideraron desde la perspectiva de musulmanes contra cristianos.
En los escritos musulmanes premodernos no se da apenas importancia a las divisiones miopes de la cristiandad. En la visión musulmana del mundo, que naturalmente atribuyen también a los demás, la religión fue el elemento determinante de la identidad, el
centro de lealtad y, lo que no es menos importante, la fuente de
autoridad.

En el siglo XIX, se introdujeron dos nuevos conceptos procedentes de Europa. Uno, el patriotismo, definía la identidad y la
lealtad a partir del país; el otro, el nacionalismo, a través de la lengua y del presunto origen étnico. En Oriente Medio, al contrario
de lo que ocurre en Europa occidental, pero muy a semejanza de lo
que pasó en Europa central, las definiciones patrióticas y nacionalistas no coincidieron y entraron frecuentemente en conflicto. Ambas eran foráneas, pero ambas ejercieron un enorme impacto. La
segunda estaba mucho más cercana de las realidades de Oriente
Medio y, en consecuencia, tuvo un mayor atractivo.

La primera de estas ideas en alcanzar Oriente Medio fue la del
patriotismo. Su lugar de origen era Europa occidental; el punto de
llegada era el Imperio Otomano, un Estado dinástico, cuya población multinacional y de múltiples denominaciones le había hecho
de algún modo poco receptiva a las llamadas patrióticas de estilo
francés o inglés. El patriotismo arraigó sólidamente sólo después
de la Primera guerra mundial, al emerger de las ruinas del Imperio
Otomano un Estado-nación turco relativamente homogéneo. Las

ideas patrióticas también empezaron a afectar a Egipto y a algunos otros países, pero, a finales del siglo XIX y a principios del XX, las ideologías nacionalistas, que tenían su origen en la Europa central y del Este, suscitaron una respuesta mucho más generalizada entre las poblaciones mezcladas de los viejos y de los nuevos Imperios. La unificación de Italia, y aún más la de Alemania, aportó en Oriente Medio esperanza e inspiración a muchas personas, que vieron en estos acontecimientos una vía de escape a la división y al sometimiento que padecían. El primer Estado en aspirar al papel de Prusia o de Cerdeña fue el Imperio Otomano. Los otomanos consideraron este papel desde el punto de vista islámico: como la solidaridad, y quizá la unificación final, del mundo islámico, bajo el liderazgo del Califa-sultán otomano. Otros, más abiertos a las ideas europeas, vieron este rol desde el punto de vista étnico: como la liberación y unificación de diversos pueblos, con independencia de su definición, con los que compartían una identidad común nacional.

Estas nuevas lealtades políticas, basadas en el patriotismo y en el nacionalismo, tuvieron un especial atractivo para los cristianos árabes, más abiertos a las influencias que emanaban de la cristiandad y que, de modo natural, se sentían atraídos por una definición de identidad que, al menos en principio, les haría participantes plenos y en plano de igualdad en la forma de gobierno, algo que nunca podían esperar alcanzar en una sociedad definida por parámetros religiosos. A estas mismas ideas extranjeras —y a sus implicaciones— se oponían a veces aquellos que las veían como contrarias a los auténticos valores islámicos.

El intento de una identidad islámica o, como a veces la llaman los occidentales, una identidad política panislámica, no era algo nuevo. En el siglo pasado había sido alentada por diversos gobernantes musulmanes, incluidos los otomanos bajo los antiguos y los "Jóvenes turcos" y los reyes de Egipto en Arabia. Todas estas campañas de panislamismo dirigidas por el Estado fracasaron, sin duda porque se veían, con cierta razón, como intentos de movilizar los sentimientos islámicos para beneficiar los intereses de uno u otro gobernante musulmán. Existió también otro panislamismo más popular y más radical, que obtuvo un mayor apoyo. Pero éste también fue patrocinado a menudo por los Estados más radicales y fue considerado como un instrumento al servicio de objetivos estatales.

Cuando las ideas nacionalistas de corte europeo aparecieron por primera vez en el Oriente Medio islámico, hubo algunos que las denunciaron como divisoras e irreligiosas. Hoy día, tras un largo período de tiempo, en el que las ideologías nacionalistas han reinado sin ser cuestionadas, se empieza a escuchar de nuevo las mismas críticas. Un libro de 'Abd al-Fattah Mazlum, titulado *The Sedition of Nationalism in the Islamic World* [*La sedición del nacionalismo en el mundo islámico*], sostiene que nacionalismo es lo mismo que racismo y que fue introducido en el mundo islámico por "infieles arrogantes", principalmente judíos, para dividir a los musulmanes y enfrentarlos entre sí.

Pero incluso aquellos que se oponen al nacionalismo y lo rechazan parecen incapaces de escapar de sus garras. El poeta turco Mehmet Akif, un hombre profundamente religioso y crítico implacable del nacionalismo étnico, se autoexilió cuando se proclamó la República turca, pero a uno de sus poemas se le puso música y fue adoptado como himno nacional turco.

Con el tiempo, estos movimientos patrióticos y nacionalistas proporcionaron una nueva expresión ideológica para lo que previamente había sido concebido y presentado como una lucha por el Islam y contra los infieles. Los pueblos del mundo islámico estaban adquiriendo un nuevo pasado; con éste llegaba un sentido nuevo y diferente de su propia identidad actual y de sus futuras aspiraciones.

2. RELIGIÓN

En Oriente Medio, como en otras partes del mundo, los antiguos dioses eran principalmente locales o tribales, y sus adoradores se definían por el lugar geográfico o sus antepasados. A veces, el politeísmo evolucionó hasta convertirse en henoteísmo, la creencia en un Dios supremo y señor de toda la creación —incluidos todos los demás dioses—. Éstas eran las creencias de los árabes preislámicos y de algunos pueblos del antiguo Oriente Medio. En Irán, estas creencias evolucionaron hasta convertirse en una especie de dualismo monoteísta: la creencia en dos entidades supremas, aunque desiguales, una del bien y otra del mal, inmersas en un conflicto cósmico, en el que la humanidad puede desempeñar un papel importante y, quizá, incluso decisivo. La influencia de estas ideas puede comprobarse en los últimos libros del Antiguo Testamento, así como en el cristianismo y en el Islam.

Con el tiempo, todos estos cultos fueron sustituidos por las grandes religiones monoteístas de Oriente Medio: sucesivamente el judaísmo, el cristianismo y el Islam. Los antiguos credos fueron sustituidos, pero en ningún modo eliminados. Las antiguas creencias y costumbres sobrevivieron frecuentemente bajo nuevas formas, por ejemplo, en la veneración de lugares sagrados, hombres santos e incluso familias sagradas. De vez en cuando, el ceño y el grito de algún culto primitivo, sediento de sangre, usurpan el nombre y el culto del Dios misericordioso y universal de los judíos, los cristianos y los musulmanes. La invocación sagrada de los musulmanes más común es "en el nombre de Dios, el Compasivo, el Misericordioso". Judíos y cristianos utilizan términos idénticos o similares para designar los atributos divinos. Pero el dios de la guerra de los terroristas ignora lo que es la misericordia o la compasión y proyecta una imagen al mismo tiempo cruel y vengativa.

También es débil, ya que necesita contratar asesinos a sueldo para matar a sus enemigos y pagarles con promesas de goces carnales en el paraíso.

En el mundo contemporáneo, el papel político del islam, tanto doméstico como internacional, se diferencia significativamente de su igual y rival, el cristianismo. Los jefes de Estado o los ministros de Asuntos exteriores de los países escandinavos y de Alemania no se reúnen de vez en cuando en una Conferencia cumbre luterana. Tampoco era costumbre, cuando existía todavía la Unión Soviética, que sus gobernantes se reuniesen con los de Grecia o Yugoslavia y, olvidando temporalmente sus diferencias ideológicas y políticas, mantuviesen encuentros regulares en base a su adscripción anterior o en esa época a la Iglesia ortodoxa. Igualmente, las naciones budistas del Este y Sudeste asiático, o las naciones católicas del sur de Europa y de Sudamérica, no forman bloques budistas o católicos en las Naciones Unidas ni, a este respecto, en ninguna de sus restantes actividades políticas.

La misma idea de una agrupación de esta naturaleza, basada en la identidad religiosa, podría parecer absurda o incluso cómica para muchos observadores occidentales de hoy día. Pero no es absurdo ni cómico en lo que respecta al islam. Unos 55 gobiernos musulmanes, entre los que se encuentran monarquías y repúblicas, conservadores y revolucionarios, partidarios del capitalismo y seguidores de diversas clases de socialismo, amigos y enemigos de Estados Unidos, así como exponentes de todo un espectro de tipos de neutralidad, han construido y elaborado un aparato de consulta internacional e incluso, en algunos temas, de cooperación. Celebran regularmente Conferencias de alto nivel y, a pesar de las diferencias de estructura, ideología y política, han logrado un alto grado de acuerdo y de acción común.

Si pasamos de la política internacional a la política interior, la diferencia entre los países islámicos y el resto del mundo, aunque menos espectacular, sigue siendo sustancial. Es cierto que existen países en Asia y en Europa con partidos políticos que se denominan budistas o cristianos. Sin embargo, éstos son pocos, y los temas religiosos en sentido estricto desempeñan un reducido papel, o no lo desempeñan en absoluto, en sus llamadas al electorado. Por el contrario, en la mayoría de los países islámicos, la religión desempeña un papel más importante en los asuntos internos que en los internacionales.

¿Por qué existe esta diferencia? Algunos responderían simple y obviamente que los países musulmanes son todavía profundamente musulmanes mientras que los países cristianos no son cristianos en la misma medida. Una respuesta así, a pesar de que no carece de fuerza, no sería por sí sola suficiente. Las creencias cristianas, y el clero que las mantiene, constituyen aún una poderosa fuerza en muchos países cristianos y, aunque su papel ya no es el que era en los siglos pasados, no es en absoluto insignificante. Pero en ningún país cristiano pueden los dirigentes religiosos imponer actualmente el grado de creencia religiosa y el alcance de participación religiosa de sus seguidores que es habitual en países musulmanes. Para ser más exactos, aquéllos no ejercen ni reivindican el tipo de papel político que, en los países musulmanes, no sólo es común, sino que además es ampliamente aceptado como adecuado.

El nivel superior de fe y de práctica religiosa en los países musulmanes, en comparación con los de otras religiones, es sin duda un elemento de la situación, pero no constituye en sí mismo una explicación suficiente. Por el contrario, hay que remontarse para explicar las diferencias a los mismos comienzos de estas diversas religiones y considerar la relación íntima y esencial que existe en el Islam entre religión y política, relación que no tiene paralelismo con ninguna otra gran religión.

Un rasgo esencial y distintivo del Islam es el carácter omnipresente de la religión en la percepción que de ella tienen los musulmanes. El Profeta, a diferencia de los anteriores fundadores de religiones, fundó y ejerció una forma de gobierno. Como gobernante, promulgó leyes, dispensó justicia, estuvo al mando de ejércitos, declaró la guerra, firmó la paz, cobró impuestos y llevó a cabo todas las demás cosas que lleva a cabo un gobernante. Esto se refleja en el mismo Corán, en la biografía del Profeta y en las tradiciones relativas a su vida y a su obra. Esta cualidad distintiva del Islam queda muy bien ilustrada en el mandato que se refleja no sólo una sino varias veces en el Corán (3: 104, 110; 7: 157; 22: 41, etc.), en el que se ordena a los musulmanes que cumplan su obligación esencial, que consiste en "ordenar el bien y prohibir el mal", no sólo en hacer el bien y evitar el mal, obligación personal impuesta por todas las religiones, sino establecer el bien y prohibir el mal, es decir, ejercer la autoridad con este objetivo. Bajo los sucesores inmediatos del Profeta, durante el período de formación de la doctrina y de la ley islámicas, su Estado se convirtió en un imperio, bajo el que los musulmanes conquistaron y sometieron a los no musulmanes. Esto significó que en el Islam existió desde el principio una interpretación de la religión y del gobierno, de la fe y del poder, que tiene algún paralelismo en el judaísmo del Antiguo Testamento, pero no en ningún otro caso posterior.

La teoría y la práctica cristianas evolucionaron en otra línea. Se cita al fundador del cristianismo declarando: «Dad al César lo que es del César y a Dios lo que es de Dios». En esta máxima bien conocida y citada, se establece un principio en los mismos comienzos del cristianismo que siguió siendo fundamental para el pensamiento y la práctica cristianos, y que es perceptible a lo largo de su historia. Siempre hubo dos autoridades, Dios y el César, que se ocupaban de diferentes asuntos y ejercían diferentes jurisdicciones; cada una con sus propias leyes y sus propios tribunales para hacerlas cumplir; cada una con sus propias instituciones y su propia jerarquía para administrarlas.

Estas dos autoridades diferentes son lo que llamamos la Iglesia y el Estado en el mundo occidental. En la cristiandad siempre han existido ambas, a veces asociadas y a veces en conflicto; a veces con predominio de la Iglesia y a veces con predominio del Estado, pero siempre dos y no una. En la teoría musulmana, la Iglesia y el Estado no son instituciones separadas ni separables. La mezquita es un edificio, un lugar de oración y de estudio. Lo mismo puede decirse de la sinagoga. Ninguno de los dos términos fue utilizado por sus respectivos fieles para designar una institución eclesiástica comparable a la Iglesia en el cristianismo. El pensamiento y la práctica islámicos clásicos distinguen entre los asuntos de este mundo y los asuntos del otro, así como los diferentes grupos de personas a su cargo, pero la misma Ley Sagrada rige a ambos. Pares de palabras que nos son familiares como laico y eclesiástico, sagrado y profano, espiritual y temporal, y otros semejantes, no tienen equivalente en árabe clásico ni en otras lenguas islámicas, puesto que la dicotomía que expresan, profundamente arraigada en el cristianismo, era desconocida en el islam hasta tiempos relativamente modernos. Su introducción fue el resultado de influencias externas, y su vocabulario consiste en palabras prestadas, palabras creadas por antiguas palabras a las que se ha imbuido nuevos significados. En años recientes, esas influencias externas han sido atacadas y debilitadas, y las ideas que conllevaban, que nunca fueron aceptadas excepto por una élite relativamente pequeña y alienada, han empezado a debilitarse. Y a medida que las influencias externas pierden su atractivo, se produce un retorno inevitable a las formas de percibir el mundo más antiguas y más profundamente arraigadas.

Existen además otras diferencias. El cristianismo surgió en medio de la caída de un Imperio. El nacimiento del cristianismo es paralelo a la decadencia de Roma, período durante el que la Iglesia creó sus propias estructuras para sobrevivir. Durante los siglos en los que el cristianismo fue una religión perseguida de oprimidos, se veía a Dios como alguien que sometía a sus seguidores al sufrimiento y a la tribulación para testimoniar y purificar su fe. Cuando finalmente el cristianismo se convirtió en una religión de Estado, los cristianos intentaron dominar y remodelar las instituciones, e incluso el lenguaje de Roma, al servicio de sus propias necesidades.

Por el contrario, el islam nació en medio de un Imperio y se convirtió en el credo oficial de un vasto reino triunfante y floreciente, creado bajo la égida de la nueva fe y expresado en la lengua de la nueva revelación: el árabe.

Mientras que para San Agustín y para los demás pensadores cristianos primitivos el Estado era un mal menor, para los musulmanes, el Estado —por supuesto, el Estado islámico— era un bien divino, ordenado por ley sagrada para promulgar la fe de Dios, hacer cumplir Su Ley y proteger y aumentar el pueblo de Dios. En esta visión del universo, a Dios se le considera como alguien que ayuda —más que como alguien que prueba a sus fieles—, que desea su éxito en este mundo y que manifiesta Su aprobación divina mediante la victoria y el dominio para Su ejército, Su comunidad y Su Estado. El martirio, según la definición musulmana, significa la muerte en batalla en una guerra santa por la fe. Una excepción parcial a este triunfalismo lo constituye la *Shi'a*, la facción derrotada de las primeras luchas por el califato. La derrota y la represión proporcionó a la *Shi'a* una concepción al estilo casi cristiano del sufrimiento, la pasión y el martirio. En la actualidad, esto se ha combinado con nuevas ideologías y nuevas tecnologías, ha llegado a producir una fuerza social explosivamente poderosa.

Estas formas de pensar procedentes de un remoto pasado islámico tienen todavía importantes consecuencias hoy día, especialmente en el efecto que ejercen en la remodelación de la conciencia que los musulmanes tienen de sí mismos. Durante gran parte de la historia conocida de la mayor parte del mundo musulmán, la definición principal y básica de su identidad, tanto adoptiva como de adscripción, ha sido la religión. Y para los musulmanes esto significa, por supuesto, el islam, o más concretamente, la versión concreta del islam a la que se adhieren. Cualquier otro factor que intervenga, para que sea efectivo, tiene que asumir una forma religiosa o, al menos, sectaria. En el Occidente contemporáneo laico y en otras regiones que han aceptado la vía occidental, el mundo se halla dividido en naciones, y la nación puede estar subdividida en diferentes comunidades religiosas. En la visión musulmana, el mundo se halla dividido en religiones, y éstas pueden estar subdivididas en naciones y, por perversión, en Estados.

Esta identidad religiosa esencial todavía se mantiene en el sentimiento popular y se ha extendido recientemente incluso al ámbito de las armas nucleares. A veces se ha oído el argumento de que, puesto que Occidente, y a este respecto se incluye Rusia, posee bombas cristianas, y se dice que Israel posee una bomba judía, es sólo una cuestión de justicia y, por supuesto, de necesidad el que uno o dos Estados musulmanes puedan adquirir o producir una bomba islámica. Este punto de vista se expresó en la ola de exaltación que se produjo en muchos países musulmanes cuando Pakistán hizo detonar con éxito seis ingenios nucleares en mayo de 1998. Durante una visita a Arabia Saudí la explícita negación del Primer Ministro de Pakistán de cualquier identidad religiosa de esta bomba influyó muy poco para quitar fuerza a esta respuesta.

Donde se percibe el islam como el principal fundamento de la identidad, también constituye necesariamente la principal afirmación de lealtad. En la mayoría de los países musulmanes, la distinción esencial entre lealtad y deslealtad la proporciona ciertamente la religión. En el islam, a diferencia del cristianismo, la principal prueba no consiste en la adhesión a la creencia y la doctrina correctas, aunque éstas sean importantes; lo que importa más es la lealtad y la conformidad a la comunidad. Y, puesto que la conformidad religiosa constituye el signo externo de la lealtad, de ello se sigue que la herejía es deslealtad y la apostasía es traición. El islam clásico no poseía una institución jerárquica para definir e imponer las creencias correctas y para detectar y castigar las creencias incorrectas. En su lugar, los musulmanes reforzaron la importancia del consenso, como fuente de orientación y como base de legitimidad. A pesar de los enormes cambios producidos en los dos últimos siglos, el mismo islam ha continuado claramente siendo la forma de consenso más ampliamente aceptada en los países musulmanes, y tiene mucha más fuerza que los programas o los eslóganes políticos; los símbolos y llamamientos islámicos continúan siendo los más efectivos para la movilización social.

Conviene recordar que la palabra «islam» se utiliza generalmente en dos sentidos diferentes: como homólogo del "cristianismo", es decir, como denominación de una religión, un sistema de creencias y un culto, y también como homólogo de la "cristiandad", designando a toda la civilización que se desarrolló bajo la égida de esta religión. Se ha producido gran confusión entre los observadores externos, que, al no reconocer esta distinción, a menudo han atribuido a la religión islámica ciertas doctrinas y prácticas muy extendidas, que aunque han sido importantes en el pasado o en el presente musulmán, están tan alejadas del islam original como lo están los cruzados y los inquisidores del cristianismo primitivo. Los militantes y los radicales musulmanes siempre han tenido una aguda conciencia de estas diferencias y han invocado lo que perciben como islam auténtico y prístino, frente a las innovaciones y las falsificaciones de aquellos que pretenden gobernar en su nombre. También han introducido algunas innovaciones por sí mismos.

En principio, el islam no tiene sacerdotes ni Iglesia. Los imames son simplemente los que dirigen la oración; los ulemas, son especialistas en teología y jurisprudencia, pero no tienen una función sacerdotal; la mezquita es simplemente un lugar. En las primeras fases de la historia del islam esto fue sin duda así, pero, con el paso del tiempo, los imames y los ulemas adquirieron un entrenamiento y una cualificación profesional, convirtiéndose en un sentido sociológico, aunque no teológico, en un clero, pero sin sacramentos. La mezquita siguió siendo sólo un edificio, pero los ulemas se agruparon en jerarquías, con rangos superiores e inferiores. La interpretación y la administración de la Ley Sagrada, de la que ellos eran principalmente responsables, les otorgaba poder, estatus, influencia y, a veces, incluso prosperidad. A esta evolución contribuyó sin duda el ejemplo de las iglesias cristianas en los países que los musulmanes habían conquistado, en especial, en los antiguos territorios bizantinos incorporados al Imperio otomano. La cristianización —por llamarla de algún modo— de las instituciones eclesiásticas islámicas ha alcanzado su apogeo en la actual República islámica de Irán, en donde, por primera vez en la historia musulmana, encontramos los equivalentes funcionales de los obispos, arzobispos, cardenales, y algunos afirmarían que incluso puede encontrarse el homólogo de un Papa. Estas influencias cristianas son, por supuesto, puramente organizativas y no han conllevado la correspondiente aceptación de las doctrinas ni de los valores cristianos. Pero los gobernantes de Irán han creado de hecho una Iglesia islámica, reivindicando la autoridad temporal y espiritual. Tal vez hayan de enfrentarse muy pronto a la reforma islámica.

La identidad islámica no es monolítica. En Egipto, y generalmente en el África del Norte musulmana, el islam es abrumadoramente sunní * y, como el chiísmo es virtualmente desconocido, la diferencia no se considera importante. Turquía también fue considerado durante mucho tiempo un país exclusivamente sunní, pero en años recientes, gracias al desarrollo de instituciones democráti-

---

* Empleamos el sufijo castellano en términos como chií, sunní, abasí, alawí, etc., evitando el galicismo chiíta, sunnita, etc. y siguiendo las pautas de Felipe Maíllo Salgado, profesor de Estudios Árabes e Islámicos en la Universidad de Salamanca, en su *Vocabulario de historia árabe e islámica* (1996), Madrid, Akal [N. del T.].

cas, las minorías chiíes, que anteriormente habían permanecido en silencio, se han hecho cada vez más visibles y ruidosos. Irán es el único de los países musulmanes de Oriente Medio y del Norte de África en el que el islam chií constituye el credo oficial y dominante; algunos han visto en esta adopción persa del chiísmo una forma de afirmar su identidad persa peculiar, frente a sus vecinos árabes, turcos, de Asia central y de la India, que son sunníes. Pero existen considerables minorías sunníes en Irán, especialmente en las provincias orientales, entre las comunidades que hablan turco y baluchi. El Sudoeste asiático árabe presenta diferencias significativas. Los palestinos y los jordanos son sunníes, pero en todas las demás partes, como Siria, Líbano, Irak y, actualmente incluso, en las provincias orientales de Arabia Saudí y algunos de los Emiratos del Golfo, existen importantes poblaciones chiíes. En Líbano, existe actualmente el grupo más numeroso, que está exigiendo cada vez más el cambio correspondiente en el lugar que ocupan en su participación política. En la totalidad de Irak, e incluso en su capital, Bagdad, ya constituyen la mayoría de la población. Siempre han estado sometidos al dominio sunní, que ha continuado sin cambios significativos desde la época turca, hasta la "república" actual, pasando por el período británico y la monarquía independiente.

Además de la corriente dominante, la llamada *Shi'a* duodecimana, la religión oficial de Irán, existen grupos heterodoxos dentro del campo chií. Entre éstos, destacan en Siria los alawíes, conocidos anteriormente como nusayríes, donde constituyen aproximadamente el 12% de la población. A ese 12%, sin embargo, pertenecen el presidente y gran parte de la clase gobernante. El mismo nombre, alawíes, se ha aplicado desde hace tiempo a diversos grupos de musulmanes no sunníes en Turquía, que profesan diferentes formas de creencias chiíes y de prácticas místicas sufíes.

Existen otros grupos más pequeños que se desvían de lo que podría llamarse la corriente dominante del chiísmo. Una es la secta ismaelita, que tiene dos ramas y que afirma tener miles de seguidores en la Siria central y muchos más miembros en India, Pakistán, Asia central y en el Este de África. Mayor importancia en la región tienen los drusos, una rama de los ismaelíes que tiene seguidores en Siria, Líbano, Jordania e Israel. En este último país, existe la única parte de la población árabe que, a petición de sus propios dirigentes, realiza el servicio militar.

En todos los países de Oriente Medio, excepto Israel y, hasta recientemente, el Líbano, el islam es la religión de la mayoría. Pero no siempre fue así. En la época de la llegada del islam y de las conquistas árabes en el siglo VII, la mayoría de los habitantes de Irán seguían una u otra forma de zoroastrismo [mazdeísmo]. En el Irán occidental, la mayoría de los habitantes eran cristianos, no sólo en las provincias sometidas al Imperio cristiano de Bizancio, sino incluso en el Irak de habla aramea, que entonces formaba parte del Imperio persa. Estos cristianos pertenecían a diversas Iglesias, algunas de las cuales, especialmente en Egipto y en Siria, se hallaban escindidas de la Iglesia ortodoxa de Constantinopla.

La otra única religión de relevancia que había sobrevivido fue el judaísmo, representado en todos estos países —entre los que se encontraba en aquella época Arabia— por sus respectivas comunidades. Los principales centros de pensamiento y de vida judíos se hallaban en Irak, bajo el gobierno persa, y en la antigua tierra natal judía, con sus gobernantes romanos bizantinos, llamada Palestina.

La mayoría de los primeros conversos al Islam fueron árabes paganos. Los conversos posteriores fueron reclutados entre las comunidades cristianas, judías y seguidoras del zoroastrismo en el Sudoeste de Asia, en el Norte de África y, durante un período, en el Sur de Europa. Con el tiempo, el islam se convirtió en la religión mayoritaria. Pero las otras religiones sobrevivieron, y la mayoría de los países de la región tienen, o han tenido hasta recientemente, minorías religiosas de uno u otro tipo. Los seguidores del zoroastrismo se han reducido a unas decenas de miles en Irán, más una cifra algo mayor, que son descendientes de los "emigrados" de Persia, que huyeron al subcontinente indio. Todavía son conocidos como parsis, por su país de origen. Cristianos y judíos siguen siendo más numerosos.

En Arabia Saudí, conforme a una decisión que se remonta al califa Omar en el siglo VII, no se permite ninguna otra religión, y a los no musulmanes (a los cristianos, pero no a los judíos) se les admite sólo como visitantes temporales y son confinados en áreas restringidas. A ninguna persona que no sea musulmana se le autoriza poner el pie en las ciudades santas de La Meca y Medina, situadas ambas en la provincia de Héyaz. En otras partes de la Península arábiga y de las islas adyacentes, sobrevivieron pequeñas minorías de judíos hasta muy recientemente; los cristianos desaparecieron en una fecha temprana. En Egipto y en la Media Luna de las tierras fértiles, tanto cristianos como judíos vivieron bajo el gobierno musulmán hasta hace poco. Todavía quedan algunos cristianos, pero todos los judíos han desaparecido. En África del Norte, tal vez a causa de su proximidad al enemigo cristiano europeo, el cristianismo sucumbió en una fecha temprana. Las minorías judías sobrevivieron mucho más tiempo y fueron reforzadas en los siglos XV y XVI por la llegada de refugiados judíos de la Europa cristiana.

La más antigua y creativa de las comunidades judías árabes —la más identificada plenamente con el país y el pueblo del que forman parte— son los judíos de Irak. Los judíos vivieron en Irak desde los días de la cautividad de Babilonia y están —o más bien lo estaban— profundamente enraizados en esta tierra. En comparación con ellos, los árabes de Irak son recién llegados, que se remontan sólo al siglo VII. Los judíos de Irak adoptaron el árabe en una fecha temprana y, exceptuando algunas particularidades menores, compartieron la lengua, la cultura y la forma de vida de sus compatriotas musulmanes. Tras el establecimiento del Estado separado de Irak en 1920, por supuesto fueron iraquíes. En el apogeo del patriotismo de estilo europeo, también ellos, al igual que sus compatriotas cristianos, se consideraban a sí mismos árabes, y así eran considerados en algunos círculos nacionalistas. En los años veinte y treinta, algunos judíos iraquíes se unieron a otros iraquíes en el rechazo de lo que describían como una implantación extranjera de judíos europeos en la Palestina árabe.

Este sueño de hermandad iraquí fue gradualmente debilitado por la lucha por Palestina y aún más por la propaganda extremadamente efectiva de la Alemania nazi. El sueño acabó violentamente en junio de 1941, al producirse en Bagdad el primer ataque importante a una comunidad judía moderna en un país árabe, en el breve intervalo de tiempo transcurrido entre el hundimiento del régimen pro Eje de Rashid Alí y la llegada de los realistas y de las tropas británicas. A estos acontecimientos les siguieron numerosos estallidos de violencia antijudía en Irak, Siria, Egipto, Arabia del Sur y África del Norte, en los que varios centenares de judíos fueron muertos o heridos y a muchos otros se les arrojó a la miseria por la destrucción de sus hogares y lugares de trabajo.

Estos ataques y la huida consiguiente de judíos precedieron al establecimiento del Estado de Israel y, sin duda alguna, contribuyeron a su creación. Este acontecimiento y la guerra resultante socavaron más su posición y condujeron a la huida de las comunidades judías que aún subsistían —a veces, como en Irak y en Yemen, con la cooperación de los gobiernos de dichos países— y su transferencia a Israel. En la actualidad, el único país árabe con una comunidad judía significativa es Marruecos, y ésta también se está reduciendo debido a una emigración voluntaria. La larga y distinguida historia de los judíos en tierras árabes parece estar llegando a su fin. Pequeñas comunidades judías permanecen en Turquía e Irán. En el primer país, su estatus oficial es el de ciudadanos iguales en un Estado laico; en el segundo, el de ciudadanos tolerados y protegidos de un Estado islámico. En ambos países, se ha reducido considerablemente su número a causa de la emigración, mayoritariamente con destino a Israel.

El descenso de las comunidades cristianas fue menos traumático, con excepción de lo ocurrido en el Líbano. Pero la tendencia general, tanto demográfica como política, les ha sido indiscutiblemente desfavorable. En el Líbano, emergieron de largas y amargas guerras civiles con una población mermada y un poder reducido. En Turquía y en Irán, tanto las comunidades judías como las cristianas sobrevivieron, pero no desempeñan ningún papel significativo en la vida pública. Exceptuando los judíos de habla persa establecidos desde antiguo, estas minorías, al contrario de las establecidas en los países árabes, se diferenciaron de las mayorías musulmanas, desde el punto de vista religioso, cultural y lingüístico.

Los cristianos, a pesar de ser menores en número que los musulmanes, presentan una mucha mayor variedad de sectas. Existen algunos protestantes, como consecuencia de las actividades de los misioneros europeos y americanos a partir del siglo XIX, y un mayor número de católicos, la mayoría de ellos uniatos, procedentes de diversas Iglesias orientales que, en un momento u otro, se unieron a Roma. Y también están, por supuesto, las Iglesias orientales, que ofrecen un amplio espectro de la historia teológica y eclesiástica de la cristiandad durante los primeros mil años de la Era cristiana. Los seguidores de la Iglesia ortodoxa, con independencia de sus afiliaciones étnicas, siguen siendo conocidos como *rûm*.

Entre los judíos no existen diferencias sectarias similares, pero sí diferencias culturales fundamentales. La más importante es la distinción entre los judíos nativos de Oriente Medio, que histórica y culturalmente forman parte del mundo del Islam, y los judíos europeos, que cultural e históricamente forman parte de la cristiandad. Los muchos contrastes y los enfrentamientos ocasionales en Israel entre estos dos grupos reflejan en miniatura la confrontación más amplia entre la cristiandad y el islam. Estos enfrentamientos afectan al conflicto dominante entre las interpretaciones laicas y religiosas de la identidad israelí y, en definitiva, de la identidad judía, al tiempo que se ven afectados por él.

Los judíos que se instalaron en Israel llegaron abrumadoramente de países con dos civilizaciones: la cristiana y la islámica. Inevitablemente, llevaron consigo gran parte de las civilizaciones de los países de los que procedían, incluidas sus percepciones y definiciones sobre la identidad. Cualquiera que haya visitado Israel reconocerá la diferencia entre, por ejemplo, judíos de Berlín y judíos de Bagdad, no en su condición de judíos, sino en la cultura alemana de los unos y la cultura árabe iraquí de los otros. Pero este contraste va más allá de la ciudad o del país; surge de la diferencia entre dos civilizaciones, la cristiana y la musulmana, que se encuentran en este pequeño Estado y en esta reducida comunidad judía. La distinción tan discutida entre judíos asquenazíes y judíos sefardíes, en términos puramente judíos, sólo tiene que ver con diferencias menores de ritual, reconocidas recíprocamente como válidas. Esta distinción no tiene relevancia teológica ni legal. Tampoco surge la diferencia, como explican algunos en términos actualmente de moda, del conflicto entre los judíos euroamericanos y los afroasiáticos. La línea divisoria realmente profunda se encuentra entre lo que podrían llamarse judíos "cristianos" y judíos "musulmanes", utilizando estos términos con una connotación de civilización y no religiosa. Los inmigrantes judíos llegados a Israel llevaron consigo de sus países de

origen gran parte de sus culturas nativas y, por ello, era inevitable
que surgieran desacuerdos e incluso conflictos entre sí.

El Estado de Israel reúne así, bajo una ciudadanía y una religión comunes, representantes de dos civilizaciones que se definen
principalmente desde el punto de vista religioso, y en ambas habían desempeñado un papel menor, pero significativo. Los judíos
poseían, por supuesto, su propia cultura religiosa, que siguió siendo auténticamente judía, aunque profundamente influenciada por
las culturas religiosas dominantes de los países de los que procedían. Pero desde la destrucción del antiguo Estado judío no ha
existido una verdadera cultura política judía. Los judíos pueden a
veces haber participado individualmente en el proceso político,
aunque con un estatus subordinado. Los dirigentes comunales judíos ejercieron a veces algunos poderes sobre su propio pueblo,
pero siempre eran poderes limitados y delegados; fueron mayores
bajo los gobiernos musulmanes y menores bajo los gobiernos cristianos, pero siempre continuaron siendo delegados, limitados y re-
vocables. No existió un poder soberano judío. Los recuerdos de la
antigua soberanía judía eran demasiado remotos, y la experiencia
de la soberanía judía moderna, demasiado breve, para proveer
gran cosa que sirviera de dirección. Existen, por supuesto, amplias
disquisiciones sobre el Estado y sus asuntos en la literatura religiosa judía; sin embargo, puesto que sus participantes no tienen en general acceso al poder del Estado, sus argumentos son excesivamen-
te abstractos y teóricos o, para decirlo de otro modo, mesiánicos.
En ausencia de una cultura política explícitamente judía y basada
en la experiencia, es en política, más que en ningún otro asunto,
donde la cultura de Israel es poco original. Los países de origen
ofrecen una gran variedad de ejemplos: sacerdote y ulema, obispos
y muftíes, arzobispos y ayatolahs, o, si dirigimos la mirada tal vez
en otra dirección, cruzada y *yihad,* inquisidores y asesinos. Los recientes inmigrantes de la antigua Unión Soviética aportaron algunos modelos adicionales: comisarios y *aparatchiks,* junto con otros
elementos de la sociedad política soviética, incluyendo la utilización del partido como una especie de Iglesia establecida.

     Estos grupos llevan consigo tradiciones culturales muy diferen-
tes en asuntos como las relaciones entre política y religión, entre

poder y riqueza y, de un modo más general, sobre el modo en que se alcanza, se ejerce y se transfiere el poder. En Israel, se han producido recientemente signos crecientes de las actitudes de Oriente Medio en estos asuntos. Si continúa esta tendencia, Israel desarrollará mayores afinidades con la región en la que se halla situado. Esto no conllevará forzosamente mejores relaciones. De hecho, podría tener el efecto contrario e incluso poner en peligro el margen cualitativo que ha permitido a Israel prosperar en un entorno predominantemente hostil.

En los países musulmanes, la rápida transformación de la sociedad, de la cultura y, sobre todo, del Estado presenta a los dirigentes de la religión organizada nuevos problemas para los que su propia historia no ofrece ningún precedente, ni su literatura tradicional, ninguna orientación explícita. El establecimiento de un Estado judío también ha planteado a los judíos, por primera vez desde la Antigüedad, el problema de la relación entre la religión y el gobierno —en términos musulmanes, entre los asuntos de este mundo y los asuntos del otro; en términos cristianos, entre la Iglesia y el Estado, entre Dios y el César—. Los cristianos encontraron de hecho una solución para el dilema consiguiente. Se necesitaron siglos de encarnizadas guerras y persecuciones religiosas antes de poder llegar a una solución. Pero la mayoría de los países cristianos ya han aceptado esta separación, al menos en la práctica, aunque no siempre en la legislación. Es la solución conocida como la separación entre Iglesia y Estado. Este mecanismo cumple un propósito doble. Por una parte, impide que el Estado interfiera en los asuntos de la religión; por otra, impone a los exponentes de una u otra rama de la religión utilizar el poder del Estado para hacer seguir sus doctrinas o sus leyes. Durante mucho tiempo, el encuentro entre la Iglesia y el Estado se ha considerado como un problema puramente cristiano, sin relevancia para judíos ni musulmanes, y la separación, como una solución cristiana a un dilema cristiano. Observando a musulmanes y a judíos en el Oriente Medio contemporáneo, debemos preguntarnos si esto sigue siendo así, o si, por el contrario, los musulmanes y los judíos, habiéndose contagiado de una enfermedad cristiana, podrían admitir un remedio cristiano.

La primera marca, fundamental e indeleble, de la identidad es la raza. En algunas partes del mundo sigue siendo de una importancia primordial. Excepto, quizá, en Arabia, donde la esclavitud no fue abolida hasta 1962, la raza importa menos en Oriente Medio. En la mayor parte de la región, entre las muchas diferencias de lengua, religión, cultura, nacionalidad y país, las mezclas raciales presentan sólo variaciones menores y éstas sólo suscitan una preocupación de segundo orden: esnobismo social más que discriminación racial. Es cierto que, a lo largo de varios siglos, llegaron a la región grandes cantidades de extranjeros, continuamente como esclavos y, en ocasiones, como conquistadores. Pero ninguno de estos dos grupos dejó ninguna huella notable. La utilización generalizada de esclavas como concubinas, junto con la castración de los varones para satisfacer la consiguiente necesidad de eunucos que las custodiasen, se combinaron para prevenir la formación en Oriente Medio de poblaciones racialmente foráneas y reconocibles de esclavos, ex esclavos y sus descendientes, tal como se encuentra en el Continente americano. Excepto en extremos fronterizos de la región, como en Sudán y Mauritania, no existe un número significativo de negros. Los recién llegados blancos —tanto esclavos como conquistadores— fueron asimilados igualmente dentro de la mezcla racial producida en Oriente Medio.

Desde hace ya mucho tiempo, la identidad en Oriente Medio ha sido abrumadoramente masculina. El rango, el estatus, los vínculos familiares y étnicos e incluso la identidad religiosa vienen determinados por la línea de los varones. En la ley islámica, se permite el matrimonio mixto con personas que profesan otras religiones monoteístas, pero sólo entre un varón musulmán y una mujer no musulmana, a la que incluso se le permite mantener su religión. El matrimonio entre un varón no musulmán y una mujer musulmana, por otra parte, es un delito capital. Los doctores de la Ley Sagrada explican su razonamiento: en cualquier encuentro entre el islam y otro credo, el islam debe predominar, y en un matrimonio es el varón el que domina. En las Casas Reales de Europa, los genealogistas exponen con primoroso detalle la genealogía precisa de reyes y princesas por ambas partes: la rama paterna y la rama materna. Entre los sultanes y los shas del Islam, en la mayoría de las épocas y lugares, sólo se conocía normalmente el nombre de los padres. Las madres solían ser por lo general concubinas esclavas pertenecientes al harén, y sus nombres, personalidad y origen, con raras excepciones, no preocupaban en absoluto y, de hecho, no interesaron a los historiadores ni a nadie.

No siempre fue así. En la Antigüedad, hubo mujeres entre los dioses y los héroes; hubo princesas e incluso reinas que reinaron en la tierra. Todavía se recuerdan los nombres de Semíramis de Asiria, Nefertiti de Egipto y Zenobia de Arabia. La Biblia nos habla de matriarcas lo mismo que de patriarcas y describe a algunas mujeres notables: Deborah, Ruth y Esther entre las virtuosas y Jetzabel entre las perversas. En la antigua Arabia, tanto las madres como los padres figuraban en las orgullosas listas de antepasados; en el califato de los Omeyas, sólo se consideraban como candidatos a la sucesión los hijos de madres árabes nobles, libres y conocidas. Aquellos que habían nacido de madres esclavas y no árabes eran sistemáticamente excluidos. Entre los judíos, la ley rabínica definía a un judío como alguien que había nacido de una madre judía o que se había convertido al judaísmo. El hijo de una madre judía y de un padre no judío nacía judío; el hijo de un padre judío y de una madre no judía no lo era. Esta norma atribuyó a la madre judía un rol definidor, aunque sus raíces puedan basarse en el principio expresado por los juristas romanos con su habitual brevedad lapidaria: *"Mater certa, pater incertus"* (La madre es segura, el padre incierto). Los musulmanes, al preferir la identidad patrilineal en lugar de la matrilineal, intentaron lograr la misma certeza mediante mecanismos cada vez más elaborados de reclusión y protección con los que envuelven a sus mujeres.

El cambio principal data de mediados del siglo VIII con la denominada revolución abasí: la sustitución del califato omeya por el califato abasí. Como sucede tan a menudo con las revoluciones, el proceso de cambio precedió y siguió a la transferencia de poder. El último de los califas omeyas fue hijo de una mujer esclava; el primero de los califas abasíes era hijo de una dama árabe libre. Pero entre sus sucesores, y en casi todas las dinastías posteriores de sultanes y de shas, el harén se convirtió en la norma, y las madres de los sultanes fueron normalmente concubinas esclavas. Como la ley musulmana prohíbe categóricamente la esclavización de musulmanes libres o incluso de ciudadanos libres no musulmanes de un Estado musulmán, esto significaba que, en principio, las concubinas eran de origen extranjero. La línea otomana incluía concubinas de procedencias tan diversas como circasianas y otras caucásicas, eslavas y otras europeas del Este, e incluso ocasionalmente occidentales, que eran proporcionadas por los corsarios de Berbería.

En un menor grado, un proceso similar puede observarse entre las familias musulmanas ricas y poderosas. Los hombres más ricos tendían a tener concubinas circasianas y otras blancas, mientras que los propietarios menos acaudalados de esclavos se contentaban con concubinas etíopes y nubias de menor valor. Aun este hecho, aunque condujo en algunos lugares a cierto oscurecimiento de la tez por causas económicas, no creó graves problemas sociales ni una conciencia racial políticamente significativa. La poligamia, y más concretamente el concubinato, sirvieron para impedir la emergencia de grupos raciales bien definidos y con un fuerte sentido de identidad racial. Los racistas consideran importantes el padre y la madre para definir la identidad, y en situaciones de tensión racial las personas de procedencia mixta son consideradas con suspicacia por ambos lados. En una sociedad en la que los conquistadores esclavizaban de un modo natural y legal a los conquistados y en el que los propietarios varones gozaban de derechos sexuales sobre sus esclavas, no tardó mucho en emerger una población significativa de ascendencia mixta. Si estas personas heredaban el estatus de sus padres, como sucedió finalmente en la mayor parte de Oriente Medio, en muy poco tiempo, las distinciones raciales quedaron desdibujadas.

Durante los primeros años posteriores a las grandes conquistas árabes del siglo VII, se mantuvo una distinción social, e incluso política, entre los musulmanes árabes y los conversos al islam no árabes, y, en menor grado, entre los plenamente árabes y los medio árabes, es decir, los hijos de padre árabe y de madre extranjera (no se concebía el caso inverso). En el siglo II de la era musulmana se abandonaron estas distinciones y, excepto tal vez como una especie de orgullo aristocrático de linaje, también se olvidaron.

Esto no impidió el uso creciente del término "racista" como insulto, utilizado en Oriente Medio en las polémicas. Con excepción de los fundamentalistas, aunque, en alguna medida, incluso entre éstos, el lenguaje actual de la política, particularmente el del insulto político, se ha hecho ampliamente occidental. Incluso los más antioccidentales parecen preferir los términos de moda europeos: "nazi" y "racista" constituyen ahora el modo más popular de insultar y de condenar al adversario. Ninguno de estos términos tiene mucha relevancia en la realidad de Oriente Medio. La única excepción es el antisemitismo, que se ha extendido ampliamente por todo el mundo árabe, así como por otros países islámicos. Esta excepción, no obstante, es más aparente que real. El antisemitismo árabe no es racista en el sentido europeo, aunque a menudo se sirve de imágenes, estereotipos y expresiones racistas, todas ellas importadas de Europa o adaptadas. Esta hostilidad es, en primer lugar, religiosa y, en segundo lugar, nacional, y cada vez más se expresa en términos islámicos más que europeos. Sin embargo, vale la pena señalar que, hoy día, en las polémicas políticas de Oriente Medio, a algunos prominentes cristianos de origen judío o parcialmente judío se les llama habitualmente judíos.

Según una teoría racial ampliamente adoptada en partes de Europa en la primera mitad de este siglo, la humanidad se halla dividida en un número claramente definido de razas, inmutables y desiguales. En Europa y en Oriente Medio, según esta teoría, existían dos razas principales: los arios, que eran superiores, y los semitas, que eran inferiores, y realmente nocivos. Los judíos y los árabes pertenecerían a la raza semítica inferior, y los persas, a la raza superior aria. El estatus de los turcos fue un asunto de debate entre los teóricos de la raza. Obviamente no son semitas, pero existían dudas sobre si podían considerarse parte de la raza superior aria, o si pertenecían al grupo de la menos distinguida raza altaica.

Esta visión de la humanidad fue oficialmente establecida en la Alemania nazi y disfrutó de un número considerable de seguidores en otras partes. Sin embargo, tuvo muy poco impacto en Oriente Medio. Ni los judíos ni los árabes se describían a sí mismos como semitas; tenían otras formas más precisas y relevantes de definirse y de definir a sus adversarios. Incluso los nazis atribuyeron muy poca importancia a las distinciones raciales en sus relaciones con Oriente Medio. Además de cortejar a sus hermanos putativos arios, también hicieron un esfuerzo significativo para cortejar a turcos y árabes. Entre estos últimos especialmente, por razones que no tenían nada que ver con la raza, pudieron obtener cierta receptividad. Muy pronto dejaron claro que su antisemitismo doctrinal y político concernía sólo a los judíos y en ningún modo a los demás pueblos llamados semíticos. Durante la guerra, un comité de expertos alemanes en Oriente Medio hizo incluso un intento de persuadir a Hitler para que autorizase una edición revisada del *Mein Kampf* que sustituyera los términos "semita", "semítico" y "antisemítico", siempre que aparecían, por "judío", "judaico" y "antijudío". Esta propuesta no fue aceptada y el canon siguió siendo sacrosanto, pero en su apreciación práctica estaba claro y se sobrentendía que para los antisemitas alemanes "semitas" significaba "judíos". Ningún otro semita se veía afectado y, por supuesto, los llamados árabes semitas fueron tratados bastante mejor por los nazis que los llamados arios, ya fuesen checos, polacos o rusos. Esta redefinición fáctica del antisemitismo facilitó posteriormente su aceptación, bajo otros nombres, en algunos países árabes e islámicos. La propaganda nazi fue activa en Turquía antes de la Segunda guerra mundial y mucho más durante ésta. Sin embargo, suscitó una respuesta limitada, principalmente reducida a los grupos panislámicos extremistas y, más concretamente, panturcos. Ambos tipos de grupos se hallaban naturalmente atraídos por un poder que parecía prometerles el desmembramiento de la Unión Soviética y la liberación —al menos del dominio ruso— de sus poblaciones musulmana y turca. Algunos encontraron incluso en las teorías nazis de la raza un modelo para su propia ideología de panturquismo. Con todo, no obstante, el impacto del racismo en Turquía fue limitado.

Los persas fueron otro asunto. El antiguo nombre de su país, Irán, coincide en su origen con la misma palabra "ario". Se utilizó en los títulos de sus antiguos reyes preislámicos y aparece en los primeros escritos geográficos e históricos árabes que siguieron a la conquista árabe del siglo VII. Disfrutó de una nueva popularidad con el renacimiento literario de los antiguos mitos persas a partir del siglo X, pero no llegó a ser un término generalizado como nombre del país hasta finales del siglo XIX.

El nombre de Persia deriva de la provincia del suroeste, llamada Pars en la Antigüedad y Fars tras la conquista árabe, puesto que en el alfabeto árabe no existe la letra P. La lengua de la provincia se convirtió en el idioma nacional y el nombre de la provincia, con formas diversas, llegó a ser el nombre de todo el país. Pero sólo en las otras lenguas. En árabe, los persas, aunque no Persia, se llamaron *furs*. Los persas en su propio idioma lo llamaron farsi, y generalmente se referían a las diferentes partes de su país sirviéndose de los nombres regionales.

A lo largo del siglo XIX, los persas empezaron con más frecuencia a referirse al reino moderno de los Shas con el antiguo nombre de Irán. Esta práctica se reforzó debido al redescubrimiento, a principios del siglo XIX, de la antigua historia de Irán, gracias en gran medida a los arqueólogos y filólogos europeos. En los años treinta se inyectó un nuevo elemento, a través de la implicación creciente de Alemania en el desarrollo económico iraní y del consiguiente aumento de la influencia ideológica nazi. En marzo de 1935, se cambió oficialmente el nombre del país en todas las lenguas, pasando de llamarse Persia a llamarse Irán; al año siguiente, el ministro alemán de economía, Dr. Hjalmar Schacht, durante una visita a Irán, aseguró a los iraníes que, puesto que eran "arios puros", no se les aplicaba las leyes antisemitas de Nuremberg sobre la raza.

El Tercer Reich otorgó este mismo dudoso privilegio a los kurdos y a los armenios. Algunos armenios respondieron fundando una organización nacionalsocialista armenia llamada Hossank y constituyendo varios batallones armenios para servir junto a las fuerzas alemanas. Sus miembros fueron reclutados entre los prisioneros de guerra del Ejército Rojo y entre la diáspora armenia de la

Europa ocupada por Alemania, junto con algunos voluntarios de América del Norte, que vieron en ello una oportunidad para liberar a Armenia del dominio soviético. Los nazis fueron capaces de formar batallones similares, sin duda inspirados por esperanzas semejantes, entre otras diásporas y entre prisioneros de guerra de otros ejércitos imperiales. Entre ellos había pueblos turcos del Asia central, árabes de Oriente Medio y del Norte de África, así como una variedad de "arios" de la Transcaucasia soviética y de la India británica. Ninguno de ellos alcanzó números relevantes.

"Semita" y "ario" pertenecen al mismo vocabulario y han sufrido las mismas perversiones. Ambos términos datan de los inicios de la filología moderna durante los siglos XVIII y XIX y del descubrimiento decisivo de que las lenguas podían clasificarse en grupos cognados o familias. En 1781, un filólogo alemán llamado August Ludwig Schlözer sugirió el término "semita", derivado de Sem, hijo de Noé, para designar la familia de lenguas a la que pertenecen el asirio, el hebreo, el arameo, el árabe y el etíope. Igualmente, el término ario, que significa "noble" y que utilizaban los antiguos habitantes de Persia e India para designarse a sí mismos, se adoptó para nombrar un grupo de lenguas relacionadas, entre las que se encuentra el sánscrito, el persa antiguo y algunas otras. Ya en una fecha tan remota como 1861, el gran filólogo alemán Max Müller advirtió que confundir la historia de las lenguas con la historia de las razas lo falsificaría todo. Sin embargo, los teóricos de la raza, particularmente aquellos que estaban ansiosos por establecer su propia singularidad y superioridad, se aferraron rápidamente al nuevo vocabulario y se apropiaron indebidamente de él para su propio uso.

La derrota de la Alemania nazi en 1945 y el descubrimiento de los espantosos crímenes que se habían cometido en nombre del racismo produjo un cambio de actitud y, consecuentemente, de lenguaje. Pero no por completo. Actualmente, muy pocos, salvo los que se encuentran en extremos lunáticos, utilizarían la palabra "ario" con una connotación racial, pero el mismo tabú no se aplica al uso igualmente teñido y erróneo de la palabra "semita". Incluso autores y periódicos respetables en otros aspectos se permiten a veces declaraciones como: «los judíos y los árabes son semitas». Si esta afirmación tiene algún tipo de sentido, sería que el hebreo y el árabe son lenguas semíticas.

Todo esto no carece de importancia. El hecho de que estos elementos básicos de la lengua, como los términos para designar a los familiares y los números, sean reconociblemente similares puede seguramente influenciar actitudes y confirmar el sentido de parentesco alimentado por sus tradiciones religiosas. Isaac e Ismael, según la Biblia y el Corán, eran hermanos y fueron los antepasados de los judíos y de los árabes respectivamente. El uso del término "primo" (en árabe *ibn 'amm*, literalmente "hijo de tío") para nombrarse mutuamente, expresa este sentimiento de parentesco. Pero mientras exista, se trata del concepto reconocido y aceptado de parentesco de familia y no del concepto foráneo de raza. Este parentesco no implica forzosamente mejores relaciones. Por el contrario, puede tener el efecto opuesto, en una región en la que las enemistades heredadas entre tribus, o incluso entre familias en el interior de las tribus, ha sido continua desde la remota Antigüedad hasta nuestros días. Tampoco existe ninguna prueba de que los que hablan árabe, hebreo, arameo y alguna de las lenguas de Etiopía sientan ninguna afinidad especial por el hecho de que sus respectivas lenguas maternas pertenezcan a la familia que los filólogos europeos han llamado semíticas.

La lengua es sin duda y en muchos aspectos una marca fundamental de identidad. Adquirida en la infancia, la bien llamada lengua materna conlleva todo un mundo de recuerdos, asociaciones, alusiones y valores. Sirve como vínculo de unidad con aquellos que la comparten y como barrera contra aquellos que la desconocen. Para casi todos, este hecho perdura a lo largo de la vida, y ningún proceso de conversión ni naturalización puede borrar la diferencia entre alguien de lengua materna natal y aquel que la ha adquirido posteriormente. Esta diferencia ha sido de hecho una cuestión de vida y muerte, como en la famosa historia de cómo los efraimitas eran identificados y muertos porque no podían pronunciar la palabra "Sibbólet" (Jueces 12: 5,6). Un paralelismo contemporáneo fue el uso, durante las guerras del Líbano, de la palabra árabe que significa tomate como un "Sibbólet" para distinguir entre libaneses y palestinos; un grupo pronunciaba "bandura" y el otro "banadura". Ambas proceden del italiano *pomodoro*.

A diferencia de algunas otras regiones de civilización antigua, el Oriente Medio poseía muchas lenguas, y la confusión resultante se encuentra vívidamente ilustrada en la historia bíblica de la Torre de Babel y la decisión divina de «confundir su lenguaje, de modo que no entienda cada cual el de su prójimo» (Génesis 11:7). Muchas de estas lenguas eran locales y efímeras, pero un número significativo de ellas se convirtieron en lenguas de civilización, gobierno, religión y literatura, cada una con su propio alfabeto. La mayoría de ellas ha desaparecido hace tiempo. Su número fue reducido considerable y constantemente por la emigración y la colonización, por la conquista y el Imperio, así como por el cambio religioso y la influencia cultural.

A comienzos de la Era cristiana, sólo existían tres áreas en las que lenguas nativas eran todavía de uso común en su forma hablada y escrita; estas lenguas eran el persa, el copto y el arameo. En el Este, en el Imperio de Irán, una forma del persa era la lengua sagrada del zoroastrismo y la lengua oficial del Estado sasánida. Las formas más antiguas del persa, escrito con caracteres cuneiformes y con otros caracteres, ha sido abandonada, y el persa de aquella época fue escrito con caracteres adaptados del alfabeto arameo.

La cristianización de Egipto produjo un resultado similar. La antigua escritura jeroglífica egipcia se olvidó y la última forma del egipcio antiguo, el copto, escrito con caracteres adaptados del griego, fue el instrumento de las Escrituras cristianas y de otras literaturas. En los territorios del centro de la Media Luna de las tierras fértiles, el arameo, hablado en varios dialectos y escrito con diversos caracteres, había sustituido a las lenguas más antiguas. El asirio y el babilónico, el fenicio y las demás lenguas cananeas, excepto una, han desaparecido. Ésta fue el hebreo, que fue la única lengua que sobrevivió por su importancia religiosa y, sobre todo, gracias a la Biblia hebrea. Pero ya no se hablaba más. A comienzos de la Era cristiana, los judíos, lo mismo que todos los habitantes de la Media Luna de las tierras fértiles, hablaban arameo y escribieron en esta lengua gran parte de su literatura religiosa, especialmente el Talmud. El hebreo sobrevivió principalmente en las Escrituras y en la oración, y ambas fueron a menudo traducidas al arameo, escrito con caracteres hebreos.

Las lenguas extranjeras, en primer lugar el griego y, en segundo lugar, el latín, también tuvieron un impacto fundamental, y existen préstamos y traducciones importadas en las lenguas de Oriente Medio, incluido el hebreo postbíblico y el árabe coránico. Con el advenimiento del Islam y la conquista árabe en el siglo VII, el latín y el griego desaparecieron y no se produjo ninguna influencia lingüística extranjera reconocible hasta los tiempos actuales.

La helenización, la romanización y, sobre todo, la cristianización se habían combinado para borrar gran parte de las antiguas lenguas, culturas e identidades de Oriente Medio. La islamización y la arabización completaron el proceso, y no pasó mucho tiempo antes de que se dejaran de hablar las antiguas lenguas, de escribir los antiguos caracteres y de que ya nadie supiera leerlos. Tampoco existía ningún motivo para hacer el esfuerzo. El arameo y el copto sobrevivieron en la Era islámica. El arameo, en diversas formas, fue el idioma común de la mayoría cristiana, una minoría judía y un menguante resto pagano. Actualmente lo hablan todavía —pero no lo escriben— los habitantes de pequeñas poblaciones rurales en algunas y escasas zonas remotas de Siria, Irak, Turquía e Irán, la mayoría de ellas cristianas o, hasta tiempos recientes, judías. Todas ellas están desapareciendo por la emigración o la asimilación. El copto continuó siendo hablado por un tiempo, principalmente en el Alto Egipto, pero parece haberse extinguido hacia el siglo XVIII. Tanto el copto como el arameo siguieron utilizándose en su forma escrita en los rituales y en las Escrituras de las Iglesias orientales, pero en todos los demás aspectos han sido suplantados por el árabe.

Hasta el siglo XIX, el hebreo también fue principalmente una lengua de escritura sagrada, de religión, erudición y literatura, y, en un menor grado, de comunicación entre judíos de diferentes países. El renacimiento del hebreo en los tiempos modernos fue inspirado por una combinación de religión y nacionalismo; se hizo posible, e incluso necesario, por la reunión de judíos de diversos orígenes y de muchas lenguas, y por la necesidad acuciante de tener una lengua común aceptable para todos ellos. Los judíos que hablaban yiddish y los que hablaban árabe desdeñaban aprender los idiomas respectivos; pero ambas comunidades pudieron coincidir en la lengua sagrada de las Escrituras y de sus antepasados. El hebreo renacido fue una poderosa fuerza en la creación de la nueva identidad israelí.

En el período de tiempo remarcablemente corto de las grandes conquistas árabes del siglo VII, el árabe, que previamente había estado limitado a la península arábiga y a los territorios fronterizos de la Media Luna de las tierras fértiles, se convirtió en la lengua dominante y, con el tiempo, en la lengua mayoritaria de la mayor parte de Oriente Medio y de África del Norte. El Corán lo convirtió en la lengua de las Escrituras sagradas; la *Sharī'a*, en el lenguaje de la ley. El Imperio árabe lo hizo en el idioma del gobierno y, finalmente, de la Administración; la nueva y rica civilización que floreció bajo la égida de los califas la transformó en un vehículo de la literatura, la erudición y la ciencia. Excepto en Irán, sustituyó permanentemente a las antiguas lenguas escritas de civilización y, en un grado notable, incluso a las lenguas habladas de las ciudades y de las zonas rurales. Aquellos que mantuvieron su fe cristiana o judía adoptaron con el tiempo el árabe, y no sólo por necesidad, como lengua de comunicación y comercio, sino también como lengua de gran parte de sus respectivas literaturas religiosas.

Sin embargo, conservaron sus propios alfabetos, santificados por las Escrituras sagradas, los comentarios y el ritual. La escritura árabe era la del Corán y, durante mucho tiempo, cristianos y judíos, aunque hablaban y escribían el árabe, no estaban preparados para adoptar la escritura árabe en sus propios escritos internos. Una situación similar surgió en Europa, donde el alfabeto latino se asociaba a los Estados cristianos y a la Iglesia. Los judíos hablaban las mismas lenguas que sus compatriotas, pero preferían escribirlas en hebreo, intercalando palabras hebreas, y creando así el judeofrancés, el judeoespañol, el judeoalemán, el judeoitaliano, etc. Por las mismas razones, los musulmanes de la España reconquistada escribían en español con caracteres árabes, preservando así su identidad musulmana. En Oriente Medio, los cristianos produjeron una considerable literatura escrita en árabe y en escritura siriaca, conocida como karshuni. Los judíos de habla árabe y los judíos de habla persa escribían el árabe y el persa en el alfabeto del Antiguo Testamento. La práctica normal consistía en utilizar los caracteres árabes al escribir sobre ciencia, medicina y otros temas de interés general, pero los caracteres hebreos cuando se escribía sobre asuntos de religión y leyes religiosas. Del mismo modo, comunidades cristianas turcohablantes de Anatolia, que pertenecían a diferentes Iglesias, preferían escribir turco en caracteres griegos o armenios. Existen manuscritos que han sobrevivido en judeoturco, es decir, en turco otomano escrito con caracteres hebreos, y una especie de judeoturco ha sobrevivido entre los pueblos turcos que no se hallaban incluidos en el Imperio otomano. Pero los territorios otomanos fueron sumergidos por la llegada masiva de refugiados judíos procedentes de España en los siglos XV y XVI que llevaban consigo el judeoespañol, cuya forma literaria se conoce como ladino. Ésta siguió siendo la lengua dominante de los judíos de Turquía hasta el siglo XX, en el que finalmente dio paso al turco estándar. La escritura karshuni y judeoárabe han quedado igualmente obsoletas. Desde el siglo XIX, los árabes cristianos —por primera vez llamados así— participaron en la corriente principal de la cultura árabe. Los judíos lo hicieron durante un tiempo, especialmente en Irak, pero esta participación terminó cuando se liquidaron todas las comunidades judeoárabes.

Más importantes y persistentes que las diferencias de lengua entre musulmanes, cristianos y judeoárabes fueron las diferencias de lengua entre regiones y, en definitiva, entre países. Hacia finales de la Edad Media, el latín dio paso en Europa a una diversidad de lenguas vernáculas que, con el tiempo, adquirieron el estatus de idiomas literarios, gubernamentales y, en última instancia, nacionales. En Oriente Medio esto no sucedió. Para los musulmanes, el Corán constituía la palabra eterna no creada e inmutable de Dios, y la lengua en la que fue escrito poseía por ello un estatus del que no gozaba ninguna lengua entre los europeos. Este estatus fue reforzado por una vasta y rica literatura, que cubría todos los aspectos del comportamiento humano, abarcando desde la poesía y la historia hasta los escritos filosóficos y científicos más avanzados de la época. En comparación, las lenguas vernáculas parecían pobres y primitivas.

La implantación del latín en gran parte de Europa occidental y la permanente latinización, en el sentido lingüístico, de Francia, España y Portugal constituyó un logro remarcable. Sin embargo, se hizo más fácil por el hecho de que no existía en estos países una previa civilización avanzada o con escritura propia. Lo mismo puede afirmarse, con excepción de México y Perú, de la posterior implantación del español y del portugués en Centroamérica y Sudamérica. Pero estos logros palidecen hasta la insignificancia en comparación con la arabización del Sudeste asiático y del Norte de África. Éstas eran regiones de antiguas civilizaciones avanzadas y profundamente arraigadas. La completa destrucción definitiva de estas civilizaciones y su sustitución por el Islam árabe debe clasificarse entre las revoluciones culturales más logradas de la historia humana.

Tanto los pueblos latinizados de la Europa occidental como los pueblos arabizados de Oriente Medio mantuvieron durante mucho tiempo, o intentaron mantener, las lenguas clásicas de sus anteriores soberanos imperiales, como medios de comunicación del gobierno y del comercio, de la religión y de la ley, de la literatura y de la ciencia. A diferencia de los pueblos de Europa occidental, que rompieron los vínculos de un latín mediocre y elevaron sus lenguas vernáculas al nivel de lenguas literarias, los pueblos del Oriente Medio se hallan aún obstaculizados por las restricciones de la diglosia y de un medio de comunicación artificial y cada vez más arcaico. Existieron varios intentos de escapar de ello: el historiador egipcio de finales del siglo XVIII, al-Jabarti, escribió en una lengua que, aunque seguía siendo formalmente árabe literario, adquirió algo del vigor y de la vitalidad del lenguaje hablado. Pero este prometedor comienzo fue ahogado por los neoclasicistas del renacimiento árabe del siglo XIX y posteriores. Para ellos, ése no era un árabe vivo, sino simplemente un árabe incorrecto. El neoclasicismo árabe adquirió una dimensión política con el nacimiento del nacionalismo panárabe en el siglo XX. Si los egipcios, los sirios, los iraquíes y los demás tenían que desarrollar sus lenguas vernáculas para convertirlas en lenguas nacionales, como habían hecho los españoles, los italianos y los otros europeos, se perdería finalmente toda esperanza de una mayor unidad árabe.

Las diversas lenguas árabes vernáculas, así como la lengua común escrita, se llaman árabe, lo mismo que si el término "latín" se hubiera utilizado en Europa para designar al latín de la Roma antigua, de la Iglesia y de las cancillerías medievales, de los humanistas renacentistas y, además, el francés, el español, el italiano y todas las demás lenguas modernas de origen latino.

Al oeste de Irán, desde Irak y hasta el Atlántico, sólo continuaron hablándose ampliamente dos grupos de lenguas, a pesar del triunfo casi universal del árabe. Son el berébere en Marruecos, Argelia, Túnez y Libia, con grupos menores en Mauritania, el Sáhara y Mali y un oasis en Egipto; y el kurdo en Irak, Irán y Turquía, con grupos menores en Siria y en las tres repúblicas transcaucásicas. Ninguna de estas lenguas posee un estatus oficial; ninguna ha logrado tener una lengua escrita común y estándar. En el pasado, sus escritores se expresaron en árabe, persa o turco; sus soldados y hombres de Estado hicieron sus carreras predominantemente en los ejércitos y Estados árabe, persa y turco. Pero, hoy día, quienes hablan estas lenguas han tomado progresivamente conciencia de una identidad étnica distinta y compartida. Algunos han expresado sus reivindicaciones, que van desde el reconocimiento cultural hasta una independencia total. Los iraníes, poseedores de una antigua cultura escrita, no perdieron su lengua ni su identidad cultural. Aunque adoptaron el árabe como la lengua de la religión y de la ley, de la cultura y de la ciencia, y contribuyeron poderosamente a la cultura árabe, no se hicieron árabehablantes; tampoco se hicieron árabes, como lo hicieron sus vecinos occidentales. Mantuvieron su lengua y su identidad, aunque de una forma diferente. El cambio del persa mazdeísta al persa islámico presenta interesantes paralelismos con la transición del anglosajón al inglés medio, tras la conquista normanda de Inglaterra. El persa se escribió entonces con caracteres árabes, no en la antigua escritura *pahlavi*, que se mantuvo sólo por los mazdeístas. También sufrió cambios gramaticales y aún más de léxico. Su gramática, al igual que la gramática anglosajona, se alteró y se simplificó bajo el impacto de los conquistadores que hablaban otra lengua. Su vocabulario espiritual e intelectual era casi totalmente árabe, lo mismo que el francés y el vocabulario clásico del inglés posterior a la conquista. Pero seguía siendo persa. No era árabe y no pertenecía a la misma familia de lenguas que el árabe.

Entre los musulmanes de Irán, el árabe se conservó durante mucho tiempo como la lengua de las Escrituras sagradas, la teología y la jurisprudencia, pero fue sustituida por el neopersa como medio de expresión literaria e instrumento de gobierno. Con el tiempo, el persa se unió al árabe como segunda lengua clásica principal de la civilización islámica, especialmente en el territorio turco, tanto otomano como de Asia central, entre los musulmanes de la India y más allá.

Si el árabe era la lengua de la religión y de la ley, y el persa, la lengua del amor y de las cartas de cortesía, el turco se convirtió muy pronto en la lengua del mando y de la ley. Los turcos, lo mismo que los árabes y contrariamente a los persas, llegaron a la región desde el exterior, desde Asia central y desde lugares más lejanos. Al igual que los persas, los turcos también poseían su literatura más antigua, escrita en alfabetos más antiguos. Al igual que otros conversos al islam, las abandonaron y adoptaron el alfabeto del Corán, junto con un considerable vocabulario de palabras árabes y ya también persas. Los turcos también poseían muchas lenguas vernáculas, la mayoría de las cuales no redujeron a su expresión escrita. Sin embargo, puesto que su lengua estaba libre de las restricciones de la santidad, se convirtieron en diversas lenguas escritas. La más importante de éstas fueron el otomano y el azerí, utilizadas en Azerbaiján, el tártaro y el turco literario del Asia central, conocidos diversamente como turki y chaghatay. Todas ellas se escribían con caracteres árabes. Bajo el dominio soviético, se abolió la escritura árabe y fue sustituida, primero por el latín y, después por una forma modificada del alfabeto ruso. El chaghatay, el idioma literario común, también fue abolido de hecho y se presentó a cada pueblo una lengua escrita y basada en su propia lengua vernácula y, con ella, una identidad nacional distinta y con base local. Las lenguas de la familia turca, que presentan un mayor o menor grado de semejanza con el turco de Turquía, se utilizan en las cinco Repúblicas ex soviéticas, así como por parte de los tártaros, bashkires y otros pueblos dentro de la Federación rusa. También existen poblaciones significativas que hablan lenguas turcas en Irán, Afganistán y en la república popular de China.

Además de en Irán, el persa tiene un estatus oficial en otros dos países: en Afganistán, en donde la forma local de persa se conoce como dari, y en la antigua república soviética de Tadjikistán. El dari se escribe en árabe persa y constituye una versión regional ligeramente arcaica del persa. El tayico ha sido conformado por una experiencia histórica diferente. Siendo en su origen simplemente una forma del persa que utiliza la misma escritura, fue, por así decir, "despersiado" por las autoridades soviéticas, que, sirviéndose del mismo método que utilizaron con las lenguas turcas, establecieron una forma estándar basada en dialectos locales y escrita en latín al principio y después con caracteres cirílicos.

El árabe literario es actualmente una lengua oficial en más de veinte Estados de Oriente Medio y África del Norte. En todos los Estados árabes es la única lengua oficial. En Israel está instituida, junto con el hebreo, como una de las dos lenguas del Estado. En Turquía y en Irán, aunque ambos países tienen minorías significativas de habla árabe, esta lengua no goza de un estatus oficial.

Tampoco gozan de un estatus oficial las numerosas lenguas vernáculas árabes. En principio, el árabe literario, incluido el radiofónico, es el mismo desde Marruecos hasta las fronteras de Irán. Naturalmente, existen algunas diferencias de lenguaje, pero éstas no son mayores que las que existen entre los diversos miembros de las otras dos grandes comunidades lingüísticas: el mundo anglosajón y el mundo hispánico. Si continúa la tendencia actual, parece probable que la comunidad lingüística árabe continuará el ejemplo sentado por aquellas dos: una comunidad de lengua, cultura, herencia y, en gran medida, religión, pero sin ninguna identidad nacional común. Sin embargo, siempre es posible que los conflictos surgidos en lugares en donde se relacionan árabes y no árabes puedan estimular una mayor solidaridad árabe y, quizá, un resurgimiento de las aspiraciones panárabes.

4. PAÍS

En el Oriente Medio actual, la palabra *watan*, junto con sus diversos derivados y equivalentes, ha adquirido todo el contenido emocional y político de país, *patrie*, *Vaterland* y palabras similares. Figura en las denominaciones de incontables partidos políticos, clubes, asociaciones e incluso Bancos; ha inspirado una vasta literatura poética y gran polémica; aparece en una docena de himnos nacionales. En otros tiempos, con el simple significado de hogar o país natal, podía tener muchas asociaciones sentimentales: existen muchas expresiones poéticas del amor y de la devoción que las personas sienten por su lugar de nacimiento o tierra natal. Las más de las veces, *watan* en la literatura clásica es una ciudad o incluso un barrio, una provincia o un pueblo más que un país en el sentido moderno. *Watan* podría evocar afecto y nostalgia; a menudo se halla unido a la añoranza de la juventud que se desvaneció, los amigos perdidos, un hogar distante... Una tradición de dudosa autenticidad cita incluso al mismo Profeta afirmando que «el amor por el propio país es parte de la fe». Pero estos sentimientos no tenían connotación política y, políticamente, un *watan* era simplemente un lugar. Por el contrario, se rechaza explícitamente una connotación política y se considera que es despreciativa. Se cita al califa Omar amonestando a los árabes: «Aprended vuestras genealogías y no seáis como los nativos de Mesopotamia, que, si se les pregunta su origen, responden: "Soy de tal y tal pueblo" [1].» En otras palabras, la línea genealógica es lo que define honorablemente la identidad, y no el ser un campesino apegado a una aldea.

A los occidentales les es familiar, desde Homero y Horacio y miles de poetas y oradores de toda Europa, la nobleza de luchar o

---

[1] Jaldún, Ibn (1858), *Muqaddima*, París, ed. E. Quatremère, vol. I, p. 237.

morir por el propio país (*peri patris, pro patria*). Ésta fue desconocida en el mundo islámico hasta que las ideas de la Revolución Francesa —descristianizada y, por ello, admisible— produjeron el primer verdadero impacto intelectual e ideológico en el mundo islámico.

Hasta entonces, el concepto de nación, país o patria nacional, como base de identidad y soberanía política, era desconocido para la mayoría de los habitantes de Oriente Medio, que no definían su propia causa ni la de sus enemigos en función del país. Por supuesto, existía un apego natural a la tierra natal; el orgullo local y la rivalidad son tan conocidos en la literatura islámica como en la occidental, pero no comportaban ningún mensaje político. Pocos países del mundo pueden tener un carácter tan singular y una historia tan eminente como Egipto y, a lo largo del período musulmán, los escritores egipcios se enorgullecen naturalmente de las glorias y bellezas de su país natal. Pero sabían poco y se preocupaban menos de sus antepasados ignorantes y paganos, que habían vivido antes de la llegada del islam.

La diferencia entre el lenguaje cristiano y el musulmán puede verse con más claridad en los títulos y en la historiografía. Los monarcas ingleses o franceses reinaron como reyes de Inglaterra o de Francia, y sus historiadores escribieron las historias de estos países. Los gobernantes musulmanes se proclamaban a sí mismos soberanos de los creyentes, y sus historiadores escribieron sobre las dinastías y los Imperios o, en menor escala, sobre las ciudades y las provincias. Cuando, en el siglo XVI, el Sultán de Turquía y el Sha de Persia intercambiaron cartas insultantes como pasos previos a la guerra, ninguno utilizaba estos títulos, pero los usaron para empequeñecer al rival. Cada uno, según su propio título, era el único soberano legítimo del islam; el otro era un insignificante potentado local. Sólo en los siglos XIX y XX, bajo la influencia y, a veces, la presión europea, empezaron los gobernantes musulmanes a designar sus gobiernos con términos nacionales o territoriales, es decir, occidentales.

A primera vista, el mapa político de Oriente Medio o, como solía llamarse antes, de Oriente Próximo, se parece mucho al de cualquier otra región. Consiste en líneas trazadas en el mapa, que definen territorios llamados países —o, siguiendo la terminología moderna, naciones—, cada uno de los cuales tiene su propio nombre distintivo y es sede de un gobierno autónomo que rige los destinos de un Estado soberano e independiente.

Pero si observamos más atentamente y comparamos el mapa político de Oriente Medio con el de Europa, por ejemplo, emergen algunas diferencias significativas. De los aproximadamente 25 Estados que constituyen el mapa de Europa, todos, salvo unas pocas excepciones, como Bélgica, Suiza y actualmente Chipre, poseen una característica importante en común. El nombre del país o nación es también el nombre del grupo étnico dominante, que a veces también es el único; también es el nombre de la lengua principal utilizada en el país y, a veces, de hecho, la única que existe en él. Checoslovaquia y Yugoslavia eran sólo excepciones aparentes, puesto que se trataba de nombres modernos para designar entidades culturales y nacionales establecidas desde hacía tiempo. Esta combinación europea de nomenclatura étnica, territorial y lingüística había existido desde hacía muchos siglos. Algunos de estos países, como Inglaterra, Francia, Suecia o España, alcanzaron la unidad y la soberanía nacional hace siglos; pero también muchos que no se convirtieron en Estados soberanos poseían nombres, lenguas y culturas propias, así como un fuerte sentido de identidad nacional y territorial y la persecución de objetivos nacionales. En algunos casos, como en los de Finlandia, Hungría, Grecia y especialmente Alemania, los nombres por los que se les conocía en el exterior no eran los mismos que ellos utilizaban, pero mantienen el mismo término para designar el país, la nación y la lengua. Incluso algunas de las más pequeñas de estas entidades políticas europeas, como Albania y Malta, poseen su propia lengua nacional, que se conoce como albanés y maltés. Tan esencial es este rasgo del patrón europeo de identidad, que incluso aquellas naciones que, como la irlandesa o la noruega, se acostumbraron durante siglos de dominación extranjera a servirse de lenguas ajenas a la propia, han hecho actualmente grandes esfuerzos por recuperar su lengua nacional perdida.

En la Edad contemporánea, los poderes europeos han impuesto al resto del mundo su autoridad y, con ella, sus hábitos limitados al resto del mundo, en un proceso que se ha extendido más allá de los límites del dominio imperial europeo y que, con frecuencia, ha sobrevivido al término de éste. Uno de estos hábitos fue la demarcación de fronteras y el trazo de líneas en los mapas. A lo largo del siglo XIX y principios del siglo XX, en primer lugar América y, a continuación, la mayor parte de Asia y África, fueron divididas, demarcadas y, frecuentemente, rebautizadas, hasta que el mapa de todo el mundo se ajustó, al menos en apariencia, al modelo europeo. Pero esa apariencia solía ser engañosa. De los países que aparecen en el mapa del actual Oriente Medio, sólo tres se ajustan a la convergencia europea de nación, país y lengua: la República de Turquía, habitada por turcos que hablan turco; Arabia, habitada por árabes que hablan árabe; e Irán, que en Occidente solía llamarse Persia, habitada por persas que hablan persa. Sin embargo, la aceptación general del nombre de Irán actualmente parecería que ha cambiado esto, puesto que iraní es el nombre de una familia lingüística más amplia, a la que pertenece el persa, y no puede aplicarse correctamente a la lengua nacional de Irán.

No obstante, si consideramos más atentamente estos tres países, nos encontramos con algunos rasgos curiosos. El nombre de "Turquía", como ya se ha señalado, no fue adoptado por los mismos turcos como nombre oficial de su país y Estado hasta 1923. Antes de la adopción final de este nombre, se produjeron algunos desacuerdos sobre la forma correcta de pronunciar lo que todavía era un término nuevo. La forma adoptada finalmente —*Türkiye*— revela claramente el origen europeo del nombre. Si el turco tomó y adoptó un término para Turquía, el árabe todavía carece de palabra para Arabia. Existen, por supuesto, palabras para "árabe" como adjetivo y como sustantivo, y para el árabe como lengua, pero no existe un nombre territorial correspondiente para "Arabia". El árabe actual recurre a circunloquios como la tierra o península de los árabes, o el reino o país árabe. Ambas palabras, Turquía y Arabia, como nombres de Estados soberanos identificados por su "turquedad" o "arabidad", sólo fueron adoptadas por sus propios gobernantes y habitantes en el siglo XX.

Esto nos lleva a otro punto de disimilitud. En Europa, son antiguos los nombres, así como la mayoría de las entidades que desig-

nan, que tienen una historia continua que se remonta al menos a la
Edad Media y, a veces, a la Antigüedad. Esto es así incluso para
aquellos países que, como Alemania e Italia, no alcanzaron la unidad política hasta el siglo XIX, o para otros, como Polonia y los Estados Bálticos, que no recuperaron o alcanzaron la independencia
hasta el siglo XX. Las líneas del mapa —muchas de ellas, lo mismo
que en América del Norte, obviamente trazadas con una regla—
que dividen el actual Oriente Medio en Estados soberanos son
nuevas, con pocas excepciones. Y algunas de las entidades que designan son igualmente nuevas, sin precedentes en la Antigüedad ni
en la Edad Media.

Aún parece más notable la diferencia de naturaleza de los nombres. Los nombres con los que se conoce a los Estados europeos
derivan de sus propias lenguas y de su propia historia, y designan
entidades con continuidad y conciencia de sí mismas. Los nombres
que se hallan en el mapa del actual Oriente Medio son, con raras
excepciones, recuperaciones o reconstrucciones de antiguos nombres, de los que una gran proporción son sorprendentemente de
origen extranjero. Algunos de estos nombres pertenecen a la Antigüedad clásica. Siria y Libia son términos de etimología dudosa,
que aparecieron por primera vez en esta forma en los escritos geográficos e históricos griegos, y que fueron adoptados por la Administración romana como nombres de provincias. Desde el tiempo
de la Conquista árabe en el siglo VII, ambos nombres eran prácticamente desconocidos en estos países y en sus alrededores, y no volvieron a aparecer hasta que fueron reintroducidos como consecuencia de la extensión de la influencia occidental. El nombre de
"Siria" llegó a ser de uso local, principalmente entre los no musulmanes en el siglo XIX, y designaba todo el área comprendida entre
la cordillera de Tauro y la península del Sinaí, entre el desierto y el
mar. El término "sirios" se utilizó ampliamente en los Estados Unidos para designar a los inmigrantes, en su mayoría cristianos, de
ese área. El término "Siria" en la forma "Suriya" fue adoptado por
los rumanos en 1864 como nombre de la provincia de Damasco y
se convirtió por primera vez en el nombre oficial de un Estado bajo
el Mandato Francés. La República establecida en el territorio de-
fendido por el Mandato Francés fue el primer Estado soberano

que utilizó el nombre de "Siria", y su persistencia actual con un ligero disfraz árabe atestigua la continuidad del poder de las formas europeas de pensar, incluso en asuntos tan íntimos como la identidad nacional.

El caso de Libia es más espectacular. Nombres aparentemente cognados aparecen tanto en la Biblia hebrea (Crónicas II, 12: 3, 6: 8; Nehemías 3:9; Daniel 11: 43) como en las antiguas inscripciones egipcias, y designan pueblos contiguos a Egipto. Los antiguos griegos lo adoptaron en las formas *Libúe* y *Libúa*, como nombre del antiguo Continente del sur en la división tripartita que hicieron del mundo en Europa, Asia al Este y Libia al Sur. En la utilización romana del término, Libia fue sustituida por África en este sentido más amplio, pero permaneció como nombre de una provincia. Con excepción de unas pocas referencias en escritos geográficos tomadas del griego, desapareció totalmente de la lengua árabe. Su utilización moderna parece remontarse a una obra geográfica italiana publicada en 1903, siendo un Decreto real italiano de 1 de enero de 1934 el que le dio existencia oficial por primera vez desde el reinado del emperador Diocleciano. Esto creó una nueva colonia formada por la unión de dos colonias italianas —los anteriores sanjacos otomanos de Barka (Cirenaica) y de Trablusgarp (Tripolitania)—, a la que llamaron Libia. Vale la pena recalcar que los Estados soberanos que surgieron al término del dominio francés e italiano optaron por mantener estos nombres en lugar de los que se utilizaban normalmente con anterioridad en árabe.

Y aún es más notable el caso de Palestina, un nombre que en su forma actual deriva del griego. En la época romana se convirtió en un término administrativo. Como indica la terminación "ina", la palabra fue originalmente un adjetivo y no un sustantivo, y se utilizaba como aposición a Siria. "Siria palestina" era la parte del sur de Siria que en la Antigüedad había sido parcialmente conquistada y colonizada por los filisteos que se extinguieron hace tiempo. Pero, al contrario de lo que sucedió con Siria y Libia, el nombre romano de Palestina sobrevivió durante los primeros siglos del dominio árabe y designaba un distrito en la provincia de Damasco. Sin embargo, ya era obsoleto cuando los cruzados llegaron a lo que llamaron Tierra Santa, a finales del siglo XI. El nombre reapareció en

Europa tras el resurgimiento del aprendizaje clásico que conllevó el Renacimiento y pasó a formar parte del lenguaje político de Occidente en el siglo XIX, aunque no de la región; fue adoptado por Gran Bretaña como nombre del territorio bajo mandato británico, constituido por los distritos más septentrionales de las provincias otomanas de Damasco y Beirut y el distrito autónomo de Jerusalén. La política imperial británica hizo que Palestina, por primera vez desde la Baja Edad Media, fuera el nombre de un territorio concreto, aunque con fronteras muy diferentes de las que poseía bajo la administración romana o árabe; también le dotaron, por primera vez en la historia, con un "gobierno de Palestina". Los acontecimientos subsiguientes, a pesar de que lo eliminaron, han creado una nación palestina.

Otros nombres poseen procedencias diversas. Líbano es una montaña, Jordán, un río, Irak, el nombre de un califato medieval. Así pues, todos los nombres preclásicos han desaparecido. Israel, que es el único país conocido por el mismo nombre y en la misma lengua, a pesar de no tener las mismas fronteras que tenía en la Antigüedad, es una excepción aparente, pero no real. Su presencia no se debe a la supervivencia, sino a una restauración, tras una discontinuidad política de casi dos milenios. Egipto es conocido allí y también en el mundo islámico con el nombre árabe de *Misr*, que proviene del antiguo nombre semítico, que probablemente significa una provincia limítrofe o fronteriza; nombres afines se utilizan en hebreo, arameo y otras lenguas semíticas. En otras partes se designa al país con derivados de un sustantivo griego, *Aegyptos*, cuya segunda sílaba conserva un eco distante de uno de los nombres del antiguo Egipto, el mismo que aparece en la palabra "copto". Sin embargo, de los nombres con los que se designaban a sí mismos y denominaban a sus respectivos países los antiguos egipcios —y a este respecto los antiguos asirios, babilonios, fenicios, arameos y otros—, no queda ninguna huella, excepto en las inscripciones antiguas y en los estudios de investigación moderna que las han recuperado y descifrado.

En muchas de ellas existen semejanzas obvias con la situación producida en las tres Américas. Allí también, los nombres lingüísticos, étnicos, territoriales y nacionales rara vez coinciden, si es que coinciden alguna vez, y la mayoría de los Estados soberanos del Continente son conocidos por nombres que reflejan la fantasía, la lectura de libros o la conveniencia de sus anteriores conquistadores y gobernantes. Parte de esta semejanza se debe a la experiencia común. En Oriente Medio, al igual que en las tres Américas y, por supuesto, en gran parte de África, el trazo de las líneas en los mapas constituye una reliquia de la Era imperial y refleja los conflictos y compromisos de los anteriores poderes imperiales. Incluso los nombres aplicados a los territorios circunscritos por estas líneas forman parte del bagaje cultural de los extintos gobernantes imperiales.

Pero el Medio Oriente es muy diferente del Continente americano, en el que no se desarrollaron civilizaciones, lenguas escritas ni memorias históricas antes de la llegada de los conquistadores, con la única excepción de dos grandes regiones. Oriente Medio es un área geográfica de antiguas civilizaciones, de hecho, las más antiguas del mundo. Pero estas antiguas civilizaciones están muertas y, hasta hace muy poco, habían sido olvidadas y se hallaban literalmente sepultadas bajo tierra. La llegada del islam y la adopción de la lengua árabe aportó una nueva identidad y, con ella, un nuevo pasado, una nueva serie de memorias.

Las regiones en las que se dividió Oriente Medio en el período islámico clásico son diferentes de las que existían en las antiguas civilizaciones y de las trazadas por el sistema de Estados modernos, incluso allí donde los nombres son los mismos. Egipto, por supuesto, fue siempre Egipto, definido inequívocamente por la geografía y por una forma de vida que persistió incluso cuando cambiaron la religión, la lengua y la cultura. En las demás partes, las fronteras eran menos definidas. África del Norte, que los musulmanes llaman el Magreb, poseía dos centros principales, Ifriqiya (antigua provincia romana de África), es decir, el actual Túnez y Marruecos. Los países que se llaman ahora Argelia y Libia eran zonas fronterizas: Argelia entre los centros marroquí y tunecino y Libia entre Túnez y Egipto. El nacimiento de entidades separadas y distintas en estas dos zonas geográficas se remonta al período otomano. Sus nombres y fronteras actuales constituyen un legado del colonialismo, francés en un caso, italiano en el otro.

En el sudeste asiático árabe, la tradición literaria histórica árabe reconoció cuatro áreas principales y también algunas secundarias. El nombre árabe *Shân* designaba la región conocida como Siria en los tiempos grecorromanos. En términos del siglo XX, comprendía todo el área de Siria, Líbano, Jordania, Palestina e Israel, así como algunas partes de lo que actualmente constituye el sur de Turquía. Al nordeste se hallaba Mesopotamia, que los árabes llamaron Jazira, en lo que ahora es el norte de Irak, además de partes del nordeste de Siria y del sudeste de Turquía. Al sur se encontraba el Irak medieval, que se extendía desde Takrit hasta el Golfo Pérsico, con algunas zonas contiguas de Irán, que en la lengua clásica se denominaba Irak 'Ajami. La península arábiga, como siempre, estaba infinitamente subdividida. Los geógrafos árabes hablaban de dos áreas principales: el Norte, cuyos centros se hallaban a veces en Hijaz y a veces en Najd, y el Sur, centrado en las antiguas civilizaciones del Yemen.

Irán tenía una identidad común sólo en las leyendas y en la literatura. A efectos prácticos, el territorio de Irán se hallaba subdividido en regiones características, especialmente Fârs —que los griegos llamaron Persis— en el Suroeste, Jurasán en el Este, y Sistán en el Sudeste. Otras regiones se conocen normalmente por los nombres de sus principales ciudades o tribus. Más allá de las antiguas fronteras tradicionales de Irán —la cordillera de Elburz al Norte y el río Oxus al Nordeste— existían nuevos territorios de asentamiento iraní.

La lengua árabe atribuía frecuentemente el mismo nombre a un distrito o provincia y a su capital. Hasta la actualidad, la misma palabra se utiliza para Argel y Argelia, para Túnez y Tunicia. En el lenguaje clásico, y en alguna medida en el lenguaje moderno, *Shân* designa tanto Siria como Damasco, y Misr, tanto Egipto como a El Cairo.

Aunque no existía la ciudad en el sentido grecorromano, sí existían áreas urbanas principales en las que se desarrolló un fuerte sentido de identidad. Las rivalidades entre ciudades se hallan con frecuencia expresadas en la literatura, las más de las veces en un tono de ligera burla. Así, por ejemplo, las rivalidades y la competencia existentes entre Isfahán y Shiraz en Irán, entre Damasco y

Alepo en Siria y entre Mosul, Bagdad y Basra en Irak. Rivalidades e incluso enemistades, a veces de larga duración, podían surgir entre pueblos rurales vecinos y entre barrios contiguos en una ciudad. Estas solidaridades y hostilidades locales y regionales continúan desempeñando un papel importante en la política actual. Palestinos y jordanos dentro del Reino hachemí proporcionan un ejemplo obvio. Palestina y Jordania, como entidades estatales, son innovaciones del siglo XX y fueron introducidas en dos fases: a través, primero, del establecimiento y, después, del término del Mandato británico. Antes de éste, ambos márgenes —Este y Oeste— del Jordán se hallaban habitados por musulmanes de habla árabe y gobernados por el mismo gobierno, ya estuvieran situados en Estambul, en Damasco, en El Cairo o en otro lugar. Por supuesto, existían las diferencias y rivalidades regionales habituales entre el Este y el Oeste, lo mismo que entre el Norte y el Sur. Pero, a finales del siglo XX, la diferencia regional entre Este y Oeste ha adquirido una nueva dimensión a causa de las experiencias políticas tan diferentes de los árabes del margen Este y del margen Oeste.

La recuperación de su antigua historia, y finalmente de su identidad, por parte de los pueblos de Oriente Medio no empezó hasta el siglo XIX. Este nuevo interés en el pasado más remoto fue provocado por la idea europea recién importada de la patria, de una relación continuada —y casi mística— entre un pueblo y el país que habita. Esta recuperación fue posible, debido sobre todo a dos causas: la pertinacia de sus propias minorías no musulmanas y la curiosidad y persistencia de los extranjeros que llegaban de Europa. Al alba de la historia moderna, todo lo que la Europa cristiana sabía sobre el antiguo Oriente Medio era lo que se hallaba en los escritos de dos pueblos que habían sido muy activos en la Antigüedad y que habían conservado sus memorias históricas y su propia voz: los griegos y los judíos. Los musulmanes, que no leían a los clásicos ni la Biblia, se hallaban peor situados y se basaban en lo poco que conocían de las historias bíblicas a través de las versiones del Corán.

Pero entre ellos existía otra fuente posible de información en las comunidades religiosas tan antiguas y persistentes como la de los judíos y cuyas raíces se remontaban a la Antigüedad. Dos, en particular, conservaron tradiciones escritas que los conectaban con sus antepasados: los coptos cristianos de Egipto y los mazdeístas de Irán y la India. Estas comunidades poseían las claves que posibilitaron a los investigadores europeos desvelar los secretos del pasado del antiguo Oriente Medio. Uno de ellos fue el jesuita alemán llamado Athanasius Kircher, que murió en 1680 y que fue el principal investigador europeo en el campo de los estudios coptos. Kircher estudió con sacerdotes coptos, aprendió a leer su antigua lengua y compiló las gramáticas y diccionarios coptos, dando así el primer paso esencial que, varias generaciones después, posibilitó el desciframiento de los jeroglíficos egipcios. Otro fue el filólogo francés Anquetil Duperron, que viajó a la India, se sentó a los pies de los sacerdotes parsis, compiló y tradujo algunas de las Escrituras mazdeístas, abriendo también así el camino al desciframiento, en una fecha posterior, de las antiguas inscripciones iraníes.

En sus orígenes, todo este proceso, que llegó a conocerse como egiptología, asiriología, iranología y otras disciplinas paralelas en el estudio del antiguo Oriente Medio, fue algo de exclusivo y total interés de los investigadores europeos y, posteriormente, americanos. El descubrimiento, cuidado, desciframiento, evaluación e interpretación de estos documentos del pasado antiguo no fue una empresa y un logro de Oriente Medio, y durante mucho tiempo ésta no ejerció ningún impacto en sus pueblos islámicos, que siguieron sin interesarse en su propio pasado pagano. Para ellos, la historia significativa empezaba con la llegada del islam. Ésa era su propia y verdadera historia, la historia que importaba. Lo que lo había precedido había sido una Era de ignorancia, sin ningún valor y sin ninguna lección que enseñar. Una nueva fase y una nueva actitud respecto al pasado nacional —expresión que por primera vez adquiría un sentido en estas regiones— empezó entonces en Egipto y se extendió posteriormente por otros países de Oriente Medio. En Egipto existieron diversas circunstancias que favorecieron este cambio. Una de ellas fue el propio carácter de Egipto como país: la verde franja del Nilo que se abre en el delta, con el desierto a ambos lados. Difícilmente puede encontrarse otro país en el mundo cuya identidad y singularidad se hallen tan claramente marcadas por la geografía y por la historia. A los egipcios les fue mucho más fácil desarrollar un sentimiento de identidad egipcio que a los demás países, cuyas fronteras, tanto geográficas como étnicas, se fundían imperceptiblemente con las de sus vecinos. Egipto poseía también lo que, probablemente, constituían no sólo los restos más impresionantes de la Antigüedad, sino también los más accesibles. En Irán, había que ir a Persépolis o a Behistún, en Turquía, a Bogazköy, en Irak, a Nínive y a otros lugares remotos, que suponen a menudo viajes difíciles y peligrosos que sólo los orientalistas tenían el incentivo de emprender. En Egipto, algunos de los monumentos más impresionantes de la antigüedad faraónica estaban a un tiro de piedra de los principales lugares habitados. Existían monumentos arqueológicos que todos podían ver, habían visto incluso desde niños y, por ello, el mensaje de orgullo patriótico era mucho más fácil de transmitir.

Egipto fue también durante mucho tiempo el país de Oriente Medio que, con excepción de Turquía, estaba más abierto a los contactos europeos y, en consecuencia, a sus influencias intelectuales, políticas y comerciales. Otro factor de cierta relevancia es que, en el siglo XIX, Egipto estaba gobernado por una dinastía nominalmente vasalla con ambiciones separatistas y, por ello, con un interés concreto en reforzar el concepto de identidad egipcia separada dentro del Imperio otomano, del que Egipto era entonces una provincia. En 1868, Shaykh Rifâ'a Rafî al-Tahtâwî, erudito e investigador egipcio que había pasado algunos años en Francia, publicó un libro sobre la historia de Egipto desde sus orígenes hasta la conquista árabe. Es decir, que su historia acababa donde había empezado la historiografía árabe en Egipto; cubría, pues, la hasta entonces desconocida prehistoria del país. Fue un libro que marcó época, no sólo en el desarrollo de la historiografía egipcia, sino también en la propia toma de conciencia de los egipcios sobre sí mismos como nación. Fue el inicio de un proceso que añadió varios miles de años a lo que los egipcios conocían sobre su propia historia y al que siguió un progreso muy rápido: la publicación de muchos libros —al principio traducciones y después originales—, el desarrollo de la egiptología entre los egipcios y un nuevo tipo de enseñanza de historia en los centros educativos.

También marcó el comienzo de lo que ha llegado a ser una tensión continua entre las dos personalidades egipcias: una, islámica, con su lengua y cultura árabe, con su historia que es la del islam; la otra, egipcia y, por así decir, faraónica, que no se define a sí misma en términos religiosos y comunales, sino patrióticos y nacionales. Esto significaba un tipo nuevo y diferente de lealtad, basada en un sentido nuevo y diferente de identidad. Obviamente, esta dicotomía tuvo considerables implicaciones políticas. La primera identidad empujó a Egipto hacia causas panárabes o incluso panislámicas; la segunda, hacia la territorialidad, basada en un patriotismo de corte occidental. Esta última suele llamarse "egipcianismo" o, por los pueblos de otros países árabes, "faraonismo", palabra utilizada con una carga hostil. En árabe se dice *tafar'un*, que literalmente significa pretender ser faraónico.

Este movimiento de Egipto suscitó al principio la oposición, la condena e incluso la ridiculización por parte de otros países de habla árabe. Se vio como algo artificial, como un intento provinciano de crear un pequeño Egipto dentro de una hermandad islámica o árabe mayor. También fue denunciado por los panárabes como separatista, por las personas religiosas como neopagano, y por ambos como divisor. Sin embargo, el ejemplo de Egipto ejerció un impacto en otros países de Oriente Medio. Egipto era con mucho el país intelectualmente más avanzado del mundo árabe y ejercía una considerable influencia, no sólo entre los árabes, sino también en todas las partes en que se leía árabe, lo cual significaba en aquella época casi todo el mundo islámico. Movimientos paralelos se desarrollaron entre otros pueblos, con un significativo trasfondo político y territorial, solapado o abierto.

Una similar recuperación y reapropiación del pasado tuvo lugar en Irak, aunque fueron más lentas y posteriores que en Egipto. Los iraquíes también podían reivindicar antiguos y gloriosos antepasados, o al menos predecesores: los sumerios, los asirios, los babilonios, que también dejaron numerosas e impresionantes obras. Pero, por diversas razones, el desarrollo de la arqueología nacional fue más lento y posterior en Irak que en Egipto. Cuando los iraquíes reivindican a los asirios y a los babilonios como antepasados gloriosos, les otorgan una especie de naturalización árabe póstuma y retroactiva, y hablan de ellos como antiguos árabes, en lugar de hablar de sí mismos como modernos asirio-babilonios. La antigua lengua siria y babilónica, a pesar de no ser árabe, pertenece, a diferencia del egipcio, a la familia semítica, y esta afinidad contribuyó a suavizar, aunque no a obviar totalmente, el conflicto de identidades e historias nacionales. De hecho algunos escritores árabes modernos han llegado incluso a reivindicar todas las antiguas lenguas semíticas como lenguas árabes, y a sus hablantes como árabes. Algunos hacen lo mismo, con dos excepciones: los judíos y los etíopes. Esta arabización retroactiva posibilitó otro elemento de la historiografía nacionalista moderna. Si los habitantes de Irak, Siria, Palestina y el litoral norteafricano ya eran árabes desde la Antigüedad, entonces, las guerras llevadas a cabo por el califato musulmán no fueron conquistas; fueron guerras de liberación, libradas para liberar a sus hermanos árabes de la opresión imperialista persa y bizantina.

En los últimos años, y particularmente bajo la conmoción producida por la guerra contra la República Islámica de Irán, la evocación de la Antigüedad se ha convertido en algo más común y más urgente. Irak es un país profundamente dividido. Desde el punto de vista religioso, una minoría sunní gobierna sobre una mayoría chií, y los chiíes, aunque árabes, comparten las doctrinas de los persas. Étnicamente, una mayoría árabe domina a la minoría kurda —la lengua kurda no pertenece ni a la familia árabe ni a la semítica, sino que se halla relacionada con el persa, lo mismo que el portugués con el español—. El concepto de una antigua nación iraquí, territorialmente definida, con raíces que se remontan a la Antigüedad, podría ser una fuerza unificadora poderosa, y no es sorprendente que los dirigentes iraquíes recurran frecuentemente a ella. El presidente Saddam Hussein se ha referido con frecuencia a Nabucodonosor como héroe iraquí, elogiando particularmente su solución expeditiva del problema sionista en su época.

El redescubrimiento llegó todavía más tarde en Irán, cuando los intelectuales iraníes leyeron las investigaciones y la literatura europea, y empezaron a darse cuenta de que ellos también tenían un antiguo y glorioso pasado por cuya reivindicación podían apostar. En Irán, como en Egipto, el pasado antiguo había sido olvidado y en su mayor parte destruido. En Persépolis, la antigua capital persa, los conquistadores musulmanes habían destrozado los rostros de los medos y de los persas representados en los frisos, por ver en ellos una expresión de idolatría pagana. Sólo se conocía la historia preislámica más reciente, la de los shas sasánidas que gobernaban Irán justo antes de la conquista árabe, y sólo de un modo esquemático y a partir de fuentes árabes. La historia más antigua de Irán había sido olvidada, e incluso se desconocía el nombre de Ciro, fundador del Estado persa.

Los primeros escritos modernos iraníes sobre el antiguo Irán aparecieron en el tercer cuarto del siglo XIX. Todavía eran escasos y se basaban totalmente en fuentes occidentales, mayoritariamente francesas. Ciro no se convirtió en un héroe popular hasta el siglo actual, en el que llegó a conocerse a través de dos novelas históricas en las que figuraba como héroe; una publicada en 1919, y la otra, en 1921. El culto a la Antigüedad en Irán alcanzó su apogeo bajo la dinastía pahlavi, que gobernó de 1925 a 1979. La información sobre la Antigüedad utilizada por los historiadores y novelistas contemporáneos iraníes provino exclusivamente y durante mucho tiempo de fuentes occidentales. Hacia finales del siglo XIX y comienzos del siglo XX, las historias de Irán estaban empezando a incluir los antiguos imperios, partiendo, por primera vez, de las mitologías heroicas que, hasta entonces, habían proporcionado las únicas informaciones disponibles sobre el Irán antiguo en lengua persa.

El caso de Irán es algo paradójico. El redescubrimiento de la Antigüedad en ese país llegó más tarde que en Irak y en Siria, y mucho después que en Egipto. En la Edad contemporánea, fue el último de los grandes países musulmanes de Oriente Medio en recuperar su memoria de la Antigüedad. Sin embargo, tras la conmoción sufrida por las conquistas árabes, fue el primero en recuperar algún sentido de identidad independiente y singular. De todos los países del Suroeste asiático y del Norte de África conquistados e islamizados por los árabes en los siglos VII y VIII, sólo Irán conservó su lengua y todavía la utiliza actualmente, aunque escrita en caracteres árabes y con un amplio vocabulario de préstamos y palabras tomadas del árabe. Los persas también conservaron una fuerte conciencia de su tierra patria como algo más que simplemente un lugar. Puede que Irán no haya poseído una entidad política coherente como Egipto, y aún menos una identidad como nación o país, en el sentido moderno de estas palabras, pero era sin duda una idea, una entidad, concebida al principio en términos culturales y, posteriormente en términos políticos. El orgullo que tienen los persas de su lengua y de sus tradiciones literarias es bien conocido por cualquiera que haya tenido trato con ellos. Se expresa particularmente en las grandes epopeyas persas, que pretenden contar las nobles y heroicas hazañas del antiguo Irán. Las historias que se cuentan en el *Shahnama*, el famoso libro de los reyes persas, provienen de una historia mítica, pero no real. El mito sirvió para apoyar y reforzar este sentido de identidad nacional persa dentro del redil islámico. Posteriormente, contribuyó al nacimiento de distintos Estados en Irán (lo cual también reforzó el mito), gobernados por dinastías musulmanas, aunque seguían siendo iraníes, y con cortes que se convirtieron en centros de la cultura persa.

No es difícil ver las razones por las que los persas, a pesar de abrazar el islam con gran entusiasmo como los demás pueblos musulmanes, no adoptaron, sin embargo, una identidad árabe. Los árabes no conquistaron Irán, arrebatando el poder a otro gobernante extranjero, sino a un gran Imperio iraní: el de los shas sasánidas. Además, los iraníes, a diferencia de sus vecinos del Oeste, todavía se alimentaban de recuerdos recientes y frescos de independencia y grandeza. Los países al Oeste de Irán —Irak, Siria, Palestina, Egipto, África del Norte— eran, todos ellos, provincias sometidas a Imperios distantes y habían sufrido muchos cambios de gobierno, de ley, de religión, de cultura e incluso de lengua. El proceso de erradicación del pasado antiguo ya estaba muy avanzado cuando llegaron los árabes. Nada de esto había sucedido en Irán y, por ello, no era sorprendente que, tras un siglo o dos de gobierno árabe-musulmán, se hubiera producido un despertar cultural: un renacimiento de la lengua persa y la emergencia de una nueva cultura nacional persa, profundamente influenciada por la cultura árabe e imbuida del espíritu del islam, pero, no obstante, inconfundiblemente persa y diferente del islam árabe en diversos aspectos relevantes. En la literatura persa de la época, e incluso en la literatura árabe escrita por los persas, existe una conciencia de esta diferencia, un sentido de identidad histórica y cultural. Los poetas persas expresan con orgullo su doble herencia: la religión de Mohamed * y la gloria de Cosroes, que ya por entonces eran héroes míticos del antiguo Irán. A veces, se atreven incluso a afirmar su propia superioridad sobre sus advenedizos conquistadores. Fue éste un proceso que no tuvo igual en ninguna otra parte del mundo islámico de Oriente Medio y del Norte de África, hasta la llegada de los turcos.

El caso turco es muy diferente del de los demás pueblos de la región. Los turcos llegaron a Oriente Medio desde Asia central, donde ya habían abrazado el islam, pero su conquista y colonización del país que llegó a conocerse como Turquía data sólo del siglo XI. Hasta su llegada, el país era predominantemente griego en lengua y cultura, y cristiano en religión, pero cualquier intento de identificarse con griegos o cristianos, en la época del autorredescubrimiento arqueológico, era claramente imposible. Por ello, los turcos nacionalistas modernos ponían sus miradas, más allá de los colonizadores griegos y de Asia menor, en los antiguos habitantes de la península, y se veían a sí mismos como sucesores de los pueblos de la Anatolia prehelénica, especialmente de los hititas.

Los árabes palestinos se enfrentaron al mismo problema con más intensidad. Si los judíos hubieran desaparecido, como había sucedido con la mayoría de los pueblos de la Antigüedad, los palestinos podrían haber reivindicado ser los herederos del antiguo Israel, como los egipcios lo eran de los faraones, y los iraquíes de los reyes de Babilonia. Pero los judíos no habían desaparecido y estaban incluso volviendo, razón por la que los palestinos buscaban su legitimidad en los cananeos, los habitantes preisraelitas de Palestina. En Siria, la supervivencia del cristianismo arameo presentaba el mismo problema de un modo mucho más atenuado. En algún momento, la cultura aramea estuvo especialmente vinculada con la minoría cristiana e incluso con el Partido Popular sirio de dirección cristiana, hasta tal punto que cualquier referencia a la cultura aramea se veía como un acto políticamente sedicioso. Esta

---

* De *muhammad*, "el ungido". Término más exacto que "Mahoma", galicismo medieval considerado por muchos como un término históricamente despectivo *[N. del T.]*.

fase parece haber pasado, y hoy día es aceptable considerar a los arameos como antepasados legítimos de la Siria moderna.

En Líbano existió durante algún tiempo la tendencia, entre algunos libaneses apasionadamente opuestos a otros libaneses, a identificarse con los antiguos fenicios que habían vivido a lo largo de esa franja de la costa del Levante. Esta actitud se encontraba principalmente entre los cristianos, y más particularmente entre los cristianos maronitas, que ponían sus miradas en Occidente y que veían en ello una forma de diferenciarse de sus vecinos islámicos y árabes. Actualmente, esta actitud tiene poco predicamento. Sin embargo, los fenicios colonizadores del Norte de África, que fundaron la ciudad y la civilización de Cartago, han sido adoptados como árabes y como antepasados en Túnez y, hasta cierto punto, en Argelia. Estos argumentos no han sido contrarrestados en absoluto por el hecho de que las lenguas cartaginesa, fenicia y cananea pertenezcan al mismo subgrupo de lenguas semíticas que el hebreo.

La idea de que existe un vínculo profundo y permanente entre un pueblo y el país que habitan, y de que este vínculo permanece a lo largo de los cambios de cultura, de lengua e incluso de religión, era foránea y difícil de aceptar. Pero se ha abierto camino de un modo notable y ha aparecido en lugares inesperados. En 1971, cuando el Sah de Irán dispuso una gran celebración en Persépolis, para conmemorar el 2.500 aniversario de la fundación de la monarquía persa por Ciro el Grande, fue vehementemente atacado con argumentos religiosos islámicos. Exaltar la monarquía era bastante malo, pero aún era peor la proclamación de una identidad común con un pasado pagano y la consiguiente redefinición del fundamento de la lealtad. Para los críticos religiosos del Sah, la identidad de los iraníes se hallaba definida por el islam, y sus hermanos eran los musulmanes de otros países, pero no sus propios antepasados infieles y errados. La revolución islámica trajo consigo interesantes variaciones sobre este tema.

A mediados del siglo IX, un cristiano de habla árabe y miembro de la Iglesia ortodoxa griega de Damasco se habría identificado en diferentes situaciones como súbdito del Imperio otomano y como miembro de la Iglesia ortodoxa griega. Si hubiera necesitado alguna definición de tipo regional, se habría denominado damasceno. Si conociera una lengua occidental y estuviera familiarizado con los escritos occidentales, se habría incluso llamado a sí mismo sirio, aunque esto es improbable. A pesar de hablar árabe, en ninguna circunstancia se habría llamado árabe. Desde entonces, esta situación ha cambiado radicalmente. Su pasaporte, si es que lo tiene, le describirá como sirio y no, como ocurría anteriormente, como súbdito de un Imperio políglota y plural, sino como ciudadano de un Estado nacional oficialmente descrito como "República Árabe Siria". Por religión, es ortodoxo, miembro de una minoría exclusivamente religiosa, que disfruta de plena igualdad teórica con la mayoría y, en consecuencia, no disfruta de las exenciones o inmunidades de la *dimma*. Por lengua y cultura es árabe, con un fuerte sentido —aunque diversamente definido— de identidad común con pueblos de otros países que comparten la misma lengua y la misma cultura.

Incluso en Egipto —con mucho el más homogéneo y unificado de los países de habla árabe—, existen también diferentes niveles de identidad. Un musulmán cairota podría en diferentes situaciones verse a sí mismo como egipcio y estar orgulloso de la gloria varias veces milenaria de su país, que tiene una historia que se remonta a la Antigüedad de los faraones; como árabe que proclama una identidad común con todos aquellos que comparten la lengua y la cultura árabes, con independencia del país, de la raza o de la religión; o como musulmán, para quien son hermanos otros musulmanes, que pueden estar tan lejos como los de Bangladesh o Indonesia, mientras que sus vecinos más inmediatos coptos no lo son, aunque incuestionablemente sean egipcios por origen y árabes por cultura y lengua. La historia moderna de Egipto refleja la interacción de estas diferentes identidades y el auge y la decadencia de las diferentes ideologías que inspiran.

En otros países de mayor diversidad, las identidades son consecuentemente más complejas. En el Reino —posteriormente República— de Irak, uno de los Estados sucesores del Imperio otomano, un ciudadano podría definirse a sí mismo en relación a la región. Mosul, Bagdad y Basra, los tres vilayatos con los que se compuso el nuevo Estado de Irak, poseen antiguas tradiciones locales, características y muy arraigadas. Sus habitantes pueden definirse así por el carácter étnico, árabe o kurdo; este último tiene raíces locales que se remontan a los tiempos preislámicos, y el primero tiene vínculos, al menos sentimentales, con otros países árabes; o puede definirse en función de la religión, musulmana o cristiana; la primera, dividida en sunní y chií, y la última en nestorianos y uniatos. La minoría judía ha desaparecido prácticamente.

La elección palestina fue al mismo tiempo más rígida y menos clara. El Mandato Palestino, como los Mandatos sobre Irak y Siria, se conformaron a partir de las anteriores provincias otomanas y sus fronteras fueron determinadas por los poderes mandatarios, que actuaban conjuntamente o por separado. Al igual que Siria y a diferencia de Irak, el Mandato palestino estaba subdividido. En Siria, los franceses crearon una República independiente, la República del Líbano, que incluía la antigua región autónoma de la montaña con algunos distritos adicionales; para el resto, mantuvieron el nombre de Siria. En Palestina, los británicos separaron la Palestina transjordana, que se convirtió en un Emirato árabe y posteriormente en una monarquía —conocida como Transjordania y después como Jordania— y mantuvieron el nombre de Palestina para los distritos cisjordanos. La diferencia posterior entre "palestinos" y "jordanos" es histórica e ideológica, más que nacional o geográfica. En el primer período árabe tanto Filastin como Urdunn designaban provincias que correspondían a la última división romana entre Palestina Prima y Palestina Secunda, pero ambas se extendían desde el mar hasta el desierto, y el límite entre ellas, que no frontera, era horizontal y no vertical. En este siglo, ambos nombres se han utilizado a ambas orillas del río Jordán. Desde el final del Mandato británico en 1948, la identidad jordana ha significado lealtad a la monarquía hachemí; el término "palestino" ha conllevado la demanda de un Estado palestino, para algunos cerca de la antigua Israel, para otros, en su lugar. Hoy día, las diferencias entre jordanos y palestinos constituyen una mezcla de particularismo regional pasado de moda, experiencia reciente y cotidiana, y decisiones políticas e ideológicas.

A veces, la recuperación de pasados diferentes puede producir conflictos de lealtad e incluso de identidad. Hasta que los descubrimientos de la egiptología llegaron a ser conocidos por los egipcios, todo lo que la mayoría de ellos sabían sobre el faraón era lo que habían aprendido en el Corán, y su imagen en éste es muy similar a la del Antiguo Testamento. Para musulmanes, cristianos y judíos, el faraón encarnaba el arquetipo del tirano pagano y opresor, el malo de una historia en la que los héroes eran los *Banu Isrâ'il*, los hijos de Israel. Pero la incorporación de los hallazgos de la egiptología a las historias de los centros docentes egipcios ofrecieron al egipcio medio una nueva imagen del faraón: la del protagonista de un antiguo pasado grande y glorioso de su país, una fuente de legítimo orgullo nacional. Las dos imágenes —la del faraón de los libros de texto y la del faraón del Corán— son obviamente irreconciliables, y la tensión aumentó cuando los egipcios se encontraron inmersos en una guerra con los actuales hijos de Israel. Para los musulmanes piadosos, los *Banu Isrâ'il* de la historia del Éxodo coránico tienen muy poco que ver, o nada en absoluto, con los judíos, conocidos por ese nombre desde la época del Profeta hasta la actualidad. Éstos eran los seguidores del profeta Moisés, uno de los muchos precursores del profeta Mohamed; así pues, formaban parte de la secuencia de revelaciones que constituye el islam, cuya misión por parte de Mohamed representaba la plenitud final. Cuando el fanático asesino del presidente Sadat proclamó orgullosamente «he matado al faraón», obviamente se estaba refiriendo al faraón de la literatura religiosa tradicional, y no al nuevo patriotismo egipcio. La tensión entre los diferentes pasados egipcios sigue sin resolverse.

A veces, el problema no radica en un país que tiene dos pasados, sino en un pasado reivindicado por dos países. Durante la Guerra entre Irán e Irak de 1980-1988, la propaganda de ambos países hacía frecuentes referencias a la Batalla de Quaddisiyya, librada en el año 636 ó 637. La fecha precisa no está clara en las fuentes originales, pero lo que cuenta actualmente es el significado de la batalla. Existe un consenso general sobre el curso de los acontecimientos. Un ejército árabe musulmán, procedente de Arabia, se enfrentó al ejército del Sah sasánida y consiguió una victoria aplastante, abriendo paso a la conquista e islamización de Persia. Para Saddam Hussein, ésta fue una gran victoria de los árabes sobre los persas y motivo de orgullo general y de aliento para los iraquíes en su guerra contra Irán. Para los iraníes, carecía de importancia que los musulmanes fueran árabes y que los infieles fueran persas. Quaddisiyya fue un acontecimiento sagrado, un triunfo de la verdadera fe sobre los infieles, que preparó el camino a la islamización de Irán y de sus pueblos. Ambos países podían legítima y honradamente reclamar por ello Quaddisiyya como una victoria propia, dependiendo de su forma de identificar a los dos bandos en aquella antigua batalla y a los bandos en la guerra contemporánea.

La guerra entre Irak e Irán demostró de un modo muy interesante la insuficiencia de los llamamientos étnicos y sectarios y, quizá también, de la fuerza de la lealtad patriótica. Cuando los iraquíes invadieron Irán esperaban ser acogidos por la amplia población de habla árabe de la provincia iraní de Juzistán. Pero sus miembros no lo hicieron, sino que permanecieron fieles a su lealtad iraní. Cuando los iraníes contraatacaron a su vez, esperaban que la amplia población chií de Irak se aliaría a la causa de la República islámica chií. Por supuesto, algunos de ellos lo hicieron, pero la vasta mayoría de los chiíes iraquíes permanecieron leales a su país.

En todo Oriente Medio, y no sólo en las viejas naciones como Irán y Egipto, sino incluso en algunas de las más nuevas y artificiales, el Estado se está convirtiendo de nuevo en el foco principal de la lealtad y de la identidad políticas. Al igual que en Sudamérica, que presenta algunas semejanzas, el mundo árabe consiste en un gran número de Estados independientes. Estos Estados tienen mucho en común: lengua y cultura, religión y sociedad, historia y destino. Lo mismo que en Sudamérica, hubo un momento tras el derrumbe de los imperios en el que podían haber conformado una mayor unidad. Pero no lo hicieron y el momento pasó. En el aspecto lingüístico y cultural, el aumento de la literatura y el incremento de la comunicación aportará sin duda una mayor unidad. En política, parecería que su destino sería el de Estados políticos independientes, que se convierten en naciones. Las líneas que los soldados y los administradores coloniales, junto con los diplomáticos imperiales, trazaron en el mapa de Oriente Medio y de África del Norte se han endurecido, y su poder para encerrar y dividir perdurará probablemente por algún tiempo en el futuro.

5. NACIÓN

La palabra "nación", incluso en inglés, ha sufrido bastantes cambios sustanciales. La primera de las diversas definiciones del Diccionario inglés de Oxford la define como: «Pueblo o raza diferenciado, caracterizado por un origen, lengua o historia comunes, y que normalmente se halla organizado como un Estado político independiente que ocupa un territorio definido». Pero esto no fue siempre así en el pasado; ni tampoco ha continuado siendo siempre así en el presente. En las Universidades medievales, las "naciones" eran las agrupaciones de viviendas en las que se alojaban los estudiantes de diversos orígenes, según los lugares de nacimiento. Éstos podían incluir las provincias del mismo país. En el lenguaje moderno de Estados Unidos, la nación ha adquirido una connotación inconfundible de territorio y soberanía. Es en este sentido en el que se utiliza la palabra nación en "Liga de Naciones" y en "Naciones Unidas". Un Estado recientemente independiente, sin tener en cuenta cómo haya sido constituido y lo antigua que sea su identidad nacional, puede describirse como una "nueva nación". Los estadounidenses que planean viajar de Nueva York a California hablarán incluso de "conducir * atravesando la nación", expresión que a oídos británicos sugiere el maltrato masivo de gran número de personas.

En el mundo occidental, se ha aceptado y establecido gradualmente la idea de que la condición de nación y la de Estado son o deberían ser idénticas, de que la lealtad a la nación y la fidelidad al Estado deben coincidir y que, si no coinciden, debe remediarse este fallo. Según la opinión predominante moderna, una nación

---

* *Drive* en inglés además de "conducir" significa, entre otras acepciones, "golpear" *[N. del T.]*.

que no haya formalizado su condición como tal en un Estado le falta algo de algún modo; un Estado que no sea nacional, que sea simplemente dinástico o imperial, es fundamentalmente incompleto y, en última instancia, está condenado.

A efectos de esta exposición, el término nación se utiliza sin sus connotaciones de territorialidad o condición de Estado soberano. En este sentido, una nación significa un grupo de personas que se mantienen juntas a través de una lengua común, la creencia en un origen común y una historia y un destino compartidos. En general, aunque no necesariamente, habitan un territorio contiguo; a menudo disfrutan de una independencia soberana en su propio nombre, y si no, la buscan en común. Esta definición hará más fácilmente comprensible la evolución del concepto de nación entre los pueblos de Oriente Medio. A este efecto, puede ser útil examinar los términos que se emplean en Oriente Medio.

La Biblia hebrea normalmente utiliza cuatro palabras, que en diversos contextos pueden traducirse como nación o pueblo: *leom, umma, 'am* y *goy*. Los cuatro se utilizan en el sentido de nación y de pueblo; los cuatro, incluido el último, los utilizan tanto los judíos como sus vecinos. Por ejemplo, en el conocido pasaje del Éxodo 19: 6, en el que se anuncia a los hijos de Israel que serán «un reino de sacerdotes y una nación santa», la palabra traducida como nación es *goyim*. En el lenguaje posterior, la forma plural *goym* llegó a significar las naciones que no eran Israel, de donde procede el término "gentiles", palabra que ha sufrido una evolución semántica paralela. En el hebreo moderno, *leom* ha dado lugar a *leumi*, "nacional", como en *Bank Leumi* (Banco Nacional) e incluso *leumanut*, "nacionalismo". Por supuesto, éstas son traducciones importadas de términos occidentales. En los carnés de identidad que se exige llevar a todos los israelíes, existen dos términos que definen la identidad en hebreo y en árabe, las dos lenguas oficiales del Estado. El primero es ciudadanía (en hebreo, *ezrahût*, y en árabe, *jinsiyya*) que para todos los ciudadanos del Estado es la misma, concretamente, israelí. El otro, que en hebreo es *leom* y en árabe *qawmiyya*, pretende claramente designar la nacionalidad étnica; la respuesta habitual para la vasta mayoría de ciudadanos israelíes es judío o árabe.

El término *qawmiyya* se utiliza ahora ampliamente en árabe con una connotación de nacionalidad o nacionalismo étnico, particularmente en el sentido panárabe. Sin embargo es una palabra bastante reciente y ha sufrido diversos cambios de significado. Los términos árabes clásicos que denotan la identidad grupal son *umma* y *milla*. Ambas tienen sus términos correspondientes en hebreo y arameo, y son muy probablemente préstamos de otras lenguas. Las dos se utilizan en el Corán. *Umma* parece significar simplemente un grupo de personas, definidas, sin embargo, por el origen, la lengua, el credo, la conducta u otros rasgos. Puede referirse a comunidades globales o a subgrupos dentro de dichas comunidades, como, por ejemplo, a "los justos" (3: 109ff; 5: 70; 7: 159). En algunos pasajes se aplica incluso a los *jinn* o genios (Corán 7: 36; 41: 24; 46: 17) y, en un pasaje (6: 38) a todas las criaturas vivas. Con la llegada del islam, la *umma* de los árabes se convirtió en la *umma* de Mohamed, una comunidad definida en función de su carácter religioso, de la que estaban excluidos los árabes infieles y a la que podían unirse los no árabes a través de la conversión. En esta acepción del término, los judíos, los cristianos y otros tenían cada cual su propia *umma*.

A pesar de esta redefinición religiosa generalmente aceptada, *umma* también conservó en el lenguaje común su antiguo sentido étnico. Existen muchos pasajes en árabe clásico que comparan los méritos y defectos de las diferentes "ummas". Los grupos comparados son a veces étnicos: árabes, persas y turcos, indios y chinos, africanos y europeos. A veces religiosos: judíos, cristianos y mazdeístas. A menudo, la intención del escritor no es clara, quizá ni siquiera para sí mismo. Al hablar de "los persas", ¿se refiere a los seguidores de la antigua religión persa o incluye a los persas musulmanes de su propia época? Al hablar de árabes, ¿incluye a los cristianos? A estas preguntas se han dado diferentes respuestas. En persa y en turco, que adoptaron el término *umma* junto con otros muchos términos coránicos, la palabra conservó una connotación puramente religiosa y es muy poco utilizada en la actualidad. En árabe moderno ha recuperado su connotación nacional anterior y se utiliza, especialmente en el discurso nacionalista de la gran nación árabe, sin distinción de país ni credo. Pero conserva la connotación religiosa, principalmente aunque no sólo, en el discurso religioso, con las inevitables ambigüedades resultantes. La palabra *milla* parece haber evolucionado en una dirección opuesta. Se utiliza frecuentemente en la Biblia hebrea, con el sentido de "palabra" o "expresión". En las formas *milta* o *mellta*, se utiliza en los antiguos textos arameos cristianos y judíos en el mismo sentido. En algunos textos cristianos, aparece como equivalente del griego *logos*. En el Corán, denota un grupo religioso, quizá en el sentido de aquellos que siguen la palabra de Dios de una determinada forma. Entre éstas se incluye a los judíos, a los cristianos, a los seguidores de otros antiguos profetas e incluso a los paganos. Se utiliza especialmente para designar la "religión de Abraham" (*millat Ibrahim*) fundada por el patriarca, renovada por diferentes profetas sucesivos y llevada a su perfección por el profeta Mohamed. En árabe clásico, esta palabra significó comunidad religiosa, principalmente aunque no sólo, la del islam. Actualmente, *milla* no es de uso corriente en árabe.

En persa y en turco, que la adoptaron junto con otros términos árabes, la palabra ha adquirido en su utilización actual significados totalmente nuevos. El término persa *millat* y el turco *millet* se utilizaron durante mucho tiempo en el sentido coránico de comunidad religiosa. En el Imperio otomano, fue de hecho el término técnico aplicado a las comunidades religiosas reconocidas oficialmente: musulmanes —a veces conocidos como la "millet gobernante" (*millet-i hakime*)—, ortodoxos, armenios y judíos. Posteriormente, se añadieron algunas otras denominaciones cristianas. La palabra se utilizó en un sentido similar en Irán. Pero con la llegada de las ideas nacionalistas modernas en ambos países, es significativo que *millet* fuera la palabra adoptada para designar la nación, siendo nacional, *milli* y nacionalismo *milliyet* y, en turco, *milliyetçi*, nacionalista. En el lenguaje posterior otomano, la expresión *beyn elmilel* (por ejemplo, entre las *millets*) se adoptó como el término equivalente al término occidental "internacional". En turco moderno, ha sido sustituido por *uluslararasi*, que viene de *ulus*, un término altaico para designar una gran tribu.

Las menciones sobre el carácter étnico en la literatura clásica de Oriente Medio se encuentran habitualmente en el contexto del origen o del empleo, es decir, de tribus o de esclavos. A menudo, ambas vertientes están vinculadas, puesto que muchos de los esclavos se identifican por sus tribus de origen. La mayoría de las descripciones sobre las categorías y diferencias étnicas se presentan en lo que podría llamarse "guías del consumidor para la compra de esclavos". Existe una gran cantidad y variedad de este tipo de manuales, que describen a los esclavos según sus diferentes orígenes étnicos, los méritos y defectos de cada grupo y sus diversas actitudes para las tres principales funciones de esclavos y esclavas: como sirviente, concubina y soldado.

Las diferencias étnicas también se mencionan en el contexto de las rivalidades dentro de las instituciones militares y, a veces, aunque con menos frecuencia, de las instituciones civiles de la Administración pública. Así, por ejemplo, en la Corte de los califas fatimíes de El Cairo medieval, existían documentos sobre las continuas rivalidades y conflictos entre blancos y negros, turcos y beréberes y grupos en lucha dentro de cada una de estas comunidades. Dentro del Imperio otomano existían rivalidades y conflictos entre los esclavos balcánicos y caucásicos, y entre los diferentes componentes de cada grupo. Herederos de estos grupos —bosnios y albaneses de Europa, georgianos y circasianos del Cáucaso— pueden todavía encontrarse en la actual República de Turquía, en la que, si son musulmanes, son considerados como turcos.

La introducción de las ideologías nacionalistas foráneas, y en particular el reciclaje de venerables términos religiosos con un nuevo significado nacionalista y, en consecuencia, no religioso, no dejó de suscitar oposición entre aquellos que veían estas nuevas ideas como divisoras y destructivas. Irónicamente, el término *qawmiyya*, en su forma turca *kavmiyet*, parece haber sido acuñado y utilizado en primer lugar por los antinacionalistas turcos con un sentido inconfundiblemente negativo de lealtades tribales o locales. Los otomanos del siglo XIX utilizaron sus lenguas clásica y sagrada, el persa y el árabe, como cantera de materia prima lexicográfica, del mismo modo que el Occidente se sirvió del latín y del griego. De este modo, crearon muchas palabras persas y árabes que eran desconocidas para los persas y los árabes, y se reapropiaron de algunas de éstas; a veces, como el término *qawmiyya*, con un cambio radical de sentido.

Mientras que *qawmiyya* en árabe moderno tiene una connotación positiva, los defensores de una mayor unidad árabe utilizan otros términos para condenar las identidades regionales y locales. Uno de ellos es *'asabiyya*, que originalmente era un término positivo para designar la solidaridad étnica o tribal. El término más habitual de insulto es *shu'ubiyya*, que proviene de *shu'ub*, plural de *sha'b*, que significa "gente". *Sha'b* en árabe es positivo y suele tener un contenido populista más que nacionalista. Adquirió este último significado durante la lucha de finales del siglo XIX y del siglo XX contra la ocupación y dominación extranjeras. Estas luchas fueron por fuerza regionales, por lo que el término adquirió un contenido regional, siendo utilizado para designar a la *sha'b* egipcia, a la *sha'b* siria, a la *sha'b* palestina, etc., más que los árabes en su globalidad. Más recientemente, el término *sha'b* ha llegado a utilizarse en un sentido socioeconómico, para designar a la plebe o al pueblo en general. Por el contrario, *shu'ubiyya* es, y siempre ha sido, un término inequívocamente negativo. En el lenguaje medieval, denotaba el intento de los pueblos conquistados, especialmente de los persas, para reafirmar su identidad nacional y reivindicar su dignidad nacional contra la dominación árabe. En la actualidad, se ha hecho revivir el término para denotar lo que se considera como tendencias separatistas o locales en diversos países árabes, por contraposición a la gran unidad de los árabes como un todo.

En sus identidades nacionales, como en otros muchos aspectos, el Oriente Medio presenta un patrón de discontinuidad y diversidad. La Biblia ha preservado los nombres y algunos elementos de la historia de muchas naciones, pequeñas y grandes, que vivieron en la región en la Antigüedad. La recuperación y el desciframiento actual de otros textos antiguos de Oriente Medio han añadido nuevos nombres y han aumentado nuestro conocimiento de los antiguos. Algunos de estos nombres, como Babilonia y Asiria, Egipto y Persia, son lugares, las tierras natales de pueblos que fundaron Estados, algunos de los cuales sobrevivieron durante mucho tiempo y conquistaron imperios. Algunos de ellos eran tribus denominadas en función de algún antepasado epónimo. Erraron por los desiertos y las estepas de Oriente Medio, y los Estados o principados que formaron fueron en su mayoría efímeros. Así ocurrió con los jebuseos, los amalequitas y los amonitas.

Esto mismo les ocurrió a los israelitas o *benê Israel*, los hijos de Israel. Israel era el apodo del patriarca Jacob, padre de doce hijos, que fundó las doce tribus. El nombre de uno de ellos, Judá, es el origen, tanto del lugar romano llamado Judea como del término moderno judío que designa a los seguidores de la religión judía. Es significativo que el término "judaísmo" no aparezca en ningún texto hebreo hasta el siglo XI, en que lo utiliza un comentarista rabínico en Francia. El término aparece por primera vez en Grecia como *ioudaismos*, en el libro de los Macabeos. Por su contenido que obviamente significa "judeidad", una forma de vida judía y no el nombre de una religión. En este aspecto, presenta un paralelismo con el uso primitivo del término "cristianismo" —procedente del término griego *christianismos*—, en el sentido de una forma de vida cristiana.

Sólo muy pocas de las demás naciones mencionadas en el Antiguo Testamento sobrevivieron como entidades nacionales hasta llegar a la Edad moderna después de atravesar el medievo. De éstas, la más importante es, con mucho, la formada por los grupos de pueblos interrelacionados conocida como nación árabe. Este nombre aparece varias veces en la Biblia hebrea, así como en otros textos antiguos y clásicos. A veces, aparece como topónimo, refiriéndose a la península arábiga o a sus regiones norteñas. Con más frecuencia se refiere a los pueblos tribales que vivían al borde del desierto en Irak, Siria y Palestina, pero no a los habitantes de estos países. La primera aparición de que se tiene noticia de este término se halla recogida en la inscripción asiria de mediados del siglo IX a. C., que recoge una historia asiria sobre una conspiración de jefes rebeldes, uno de ellos denominado "Gindibu el Aribi". Posteriormente, existen frecuentes referencias en antiguas inscripciones, que habitualmente registran la percepción de tributos pagados por los caciques fronterizos, o el envío de expediciones de castigo cuando éstos causaban problemas. Igualmente se halla en inscripciones asirias y, posteriormente, persas, en textos talmúdicos y, cada vez más, en escritos griegos y latinos. También aparece en inscripciones que se han conservado, procedentes de la antigua civilización septentrional árabe, que se remonta a los siglos anteriores al cristianismo primitivo. En ellas, el término designa a la población nómada como distinta de la población sedentaria. El "árabe" aparece como beduino y, a veces, como salteador. La primera acepción recogida de este término por parte de los árabes para designarse a sí mismos en árabe aparece en una inscripción de principios del siglo IV que anuncia la muerte y proclama los logros del jefe de los nómadas del norte y centro de Arabia, que se llama a sí mismo "Rey de todos los árabes". Esta inscripción es también el primer registro de la lengua árabe que se ha conservado.

El sustantivo Persia —en hebreo *Paras*— aparece en los versículos del libro profético de Ezequiel (27:10 y 38:5), donde se halla en una lista, junto con otros lugares remotos, para indicar los límites exteriores del mundo conocido. Los persas hicieron una aparición más espectacular en un escrito trazado en la pared del palacio en el festín de Baltasar, *Mené, Mené, Tequel* y *Parsín*, que, al ser interpretado, informó al infeliz príncipe de Babilonia de que había sido pesado en la balanza y encontrado falto de peso, así como de que su reino sería dividido y entregado a los medos y a los persas (Daniel 5: 25-28). Los libros de la Biblia hebrea posteriores al exilio reflejan a menudo esta percepción de las conquistas persas del siglo VI a. C. como realización del designio de Dios. Esto aparece con más fuerza en Isaías (44: 28 y 45: 1), cuando Dios habla al rey persa Ciro como su pastor e incluso como el ungido de Dios (en hebreo, *mashiah*).

Las guerras entre los persas y los griegos, y posteriormente contra los romanos, proporcionaron a los persas un importante lugar en la historiografía y literatura clásicas. Hasta el desciframiento moderno de las antiguas inscripciones persas, los clásicos y la Biblia proporcionaban prácticamente todo lo que se sabía sobre el Irán preislámico. En el Irán musulmán no se leía la Biblia ni a los clásicos.

El término "turco" aparece por primera vez en China, y poco después, en los escritos bizantinos. Los anales chinos del siglo VI hablan de Tu Kiu, que fundó un poderoso Imperio que se extendía desde las fronteras occidentales de China y atravesaba Asia central. El mismo pueblo se nombra en los anales bizantinos como los *tour-*

koi. En el año 568, se nos dice que su jefe, el Jagan, envió un embajador a Constantinopla, para pedir apoyo del emperador contra los persas. Posteriormente, las diversas tribus e Imperios turcos de Asia central se mencionan a menudo por sus vecinos del Lejano y Cercano Oriente. La primera utilización del término "turco" por los turcos, para designarse a sí mismos en una lengua turca reconocible, aparece en una serie de inscripciones rúnicas descubiertas cerca del río Orkhon, al norte de Mongolia. Esas inscripciones datan del siglo VIII y contienen los anales reales de un Imperio turco de corta duración, que se extendió desde las fronteras chinas hasta las fronteras persas. Poco después encontramos diversos tipos de escritos turcos en Asia central, en alfabetos derivados principalmente del arameo. Éstos incluyen tanto escritos cristianos como budistas, que muestran hasta qué punto los turcos han estado expuestos a las religiones de Oriente Medio y de Asia. Sin embargo, su principal papel histórico fue como musulmanes y en las tierras del islam.

Primero entraron en Oriente Medio como esclavos, capturados por salteadores que hacían incursiones más allá de la frontera islámica de Asia central; esclavos que eran especialmente valorados por sus cualidades militares. Muy pronto se convirtieron en un elemento esencial, y con el tiempo predominante, de los ejércitos de los califas y sultanes del Islam. En poco tiempo, los soldados esclavos turcos fueron dirigidos por oficiales turcos y, posteriormente, mandados por generales turcos. Por un tiempo, éstos fueron apreciados por su lealtad a los príncipes a los que servían, pero, en un período de fragmentación y anarquía políticas, empezaron a desempeñar un papel independiente, primero como jefes de soldados mercenarios, después como gobernadores y, finalmente, como gobernantes independientes.

Durante algún tiempo siguieron siendo en los territorios de Oriente Medio en los que vivían una pequeña minoría extranjera entre los pueblos que gobernaban. Esta situación cambió cuando las tribus turcas empezaron a emigrar de Asia central a Irán y al Oriente Próximo. Entonces ya no llegaban como esclavos o aventureros individuales, sino como personas libres que se asentaban entre los habitantes libres ya instalados y, en algunas regiones, asimila-

ron a éstos a su propia cultura turca. En todos los territorios de
Oriente Medio establecieron una dominación que duró casi 1.000
años. Tras sí dejaron una cadena de Estados-naciones turcas, que se
extendieron desde Asia central hasta el Mediterráneo, así como poblaciones significativas de habla turca bajo dominio extranjero.

La actitud árabe hacia los turcos, como queda reflejada en la
literatura, atravesó diferentes fases. Al primer contacto, fueron
considerados primitivos e incultos, pero con las virtudes y los defectos del "noble salvaje". A medida que asumieron un rol militar,
adquirieron nuevas y sucesivas imágenes: primero, como soldados
valientes y honrados y, después, cuando los soldados se convirtieron en gobernantes, como opresores crueles. Sin embargo, en la
Edad Media, la llegada de los turcos a Oriente Medio se consideró
en general más como una bendición que como una maldición. En
palabras del más grande de los historiadores árabes, Ibn Jaldún:

> Cuando el Estado se hundía en la decadencia... fue benevolencia de
> Dios rescatar la fe, revitalizando su aliento moribundo... y defendien-
> do las murallas del islam. Lo hizo enviando a los musulmanes desde la
> nación turca... gobernantes para defenderlos y colaboradores total-
> mente leales... El islam se regocija en el beneficio que obtiene de ellos,
> y las ramas del reino florecen con el vigor de la juventud [2].

Esta visión no era excepcional, pero tampoco era unánime. No
faltaban imágenes y estereotipos negativos, lo mismo que positi-
vos, pero durante la época en que el islam fue atacado por los cruzados cristianos por el Oeste y por los paganos mongoles por el
Este, se consideró a los turcos como salvadores de la fe. Cuando
desaparecieron los enemigos —los cruzados derrotados y expulsa-
dos, y los mongoles islamizados y asimilados—, las masas de habla
persa y árabe se hicieron más conscientes de lo que algunos vieron
cada vez más como un dominio bárbaro, y también se volvieron
más resentidas.

Por supuesto, siempre habían existido rivalidades y, de hecho,
a veces hostilidades entre estos diferentes grupos étnicos, que se

---

[2] Jaldún, Ibn (1284/1867), *Kitab al-'Ibar*, Bulaq, vol. V, p. 371.

reflejan en toda una literatura de calumnias y bromas en árabe, persa y turco. En la época contemporánea, estos antagonismos se han intensificado e incluso sistematizado bajo el impacto de las nuevas ideologías nacionalistas.

En la sociedad tradicional, una diferencia étnica que distinguiera la dinastía y la élite gobernantes de la masa de la población no se consideraba extraña ni ofensiva, mientras todas estuvieran unidas en la hermandad del islam. Durante la mayor parte de la historia del Imperio otomano, los otomanos fueron aceptados como gobernantes legítimos de un gran Estado musulmán, y la pertenencia a la élite gobernante estuvo abierta a todos los súbditos otomanos que profesaran el islam y pudieran servirse de la lengua turca. A veces se permitían incluso excepciones a estos requisitos. Sólo a finales del siglo XIX se implantó la idea entre los habitantes musulmanes que no hablaban turco, especialmente entre los de lengua árabe, de que se trataba de un Imperio turco y no musulmán, y de que, en consecuencia, era un pueblo vasallo, en lugar de ser participantes en plano de igualdad en la forma de gobierno otomana.

Los primeros sentimientos antiturcos entre los árabes, en una escala significativa, aparecieron primero en las últimas fases del Imperio otomano y se debieron claramente a influencias extranjeras: por una parte, la nueva idea del nacionalismo y, consecuentemente, de una nación árabe más vasta suprimida por la dominación turca extranjera; por otra parte, la incitación y la intervención directa de los poderes exteriores. Con el tiempo, estas fuerzas se combinaron para provocar el derrocamiento del Imperio otomano y el desmembramiento de sus territorios. Con ello, lo que crearon no fue una nación árabe mayor, sino una cadena de Estados árabes.

6. EL ESTADO

Las personas pueden definir su identidad en función del país, la nación, la cultura y la religión, pero la lealtad la deben al Estado, que recauda impuestos, recluta ejércitos, emplea funcionarios, impone la ley y puede también dispensar algunos beneficios. En un sentido, esto siempre ha sido así desde que los gobernantes empezaron a aprender no sólo a ejercer la autoridad, sino también a delegarla y a transmitirla. El Estado burocrático es probablemente más antiguo en Oriente Medio que en ninguna otra parte del mundo. En sus diversas fases de desarrollo, desde la Antigüedad hasta hoy día, su fuerza se ha visto reforzada por el agua y el petróleo: en el primer caso, a través de la irrigación de las comunidades de los valles fluviales; en el segundo, por el manejo del dinero en economías dependientes de los ingresos procedentes del petróleo. Las tecnologías modernas de transporte y vigilancia, de dominio y represión, han fortalecido más el poder del Estado sobre sus ciudadanos. En la actualidad, en Oriente Medio como en otros muchos lugares, el Estado que lo gobierna a uno determina la propia identidad, por encima de cualquier otro factor.

Durante la mayor parte del período trascurrido desde la llegada del islam, sólo han existido Estados islámicos en Oriente Medio. El Imperio persa fue enteramente conquistado; el Imperio bizantino fue reducido, provincia a provincia, y finalmente extinguido con la conquista turca de Constantinopla. Los Estados fundados por los cruzados en el Levante duraron un tiempo, pero fueron liquidados y sus territorios reincorporados al mundo islámico.

En principio, sólo había un único Estado islámico universal. Idealmente y durante un tiempo, la forma política islámica era, incluso en la práctica, un solo Estado unido por la fe y la ley del islam, y gobernado por un solo soberano, el califa. El deseo de realizar este ideal siguió siendo un tema recurrente y un poderoso motivo a lo largo de los siglos de la historia islámica. Sin embargo, transcurridos los primeros siglos, de hecho nunca fue así. No hubo un solo Estado, sino muchos Estados; no sólo un gobernante, sino muchos gobernantes, que se relacionaban en la paz y en la guerra por medio de la diplomacia y del comercio.

Obviamente, se hacía necesario de algún modo regular las relaciones entre ellos, establecer una especie de ley internacional musulmana. En los libros de texto y en los tratados de la Ley Sagrada del islam, la exposición de la ley internacional o de cualquier regulación que en lenguaje moderno pudiera llamarse ley internacional, parece referirse sólo a las relaciones entre el Estado musulmán —el único y solo Estado musulmán— y los Estados no musulmanes. Sin embargo, de hecho, existían por supuesto muchos Estados musulmanes, y la ley islámica integró esta realidad, lo mismo que integró otras realidades difíciles de digerir, por medio de lo que se llamó un "instrumento legal" (*hila shar'iyya*). El instrumento utilizado a estos efectos fue la articulación legal de las guerras llevadas a cabo contra bandidos y rebeldes y reconocidas como formas legítimas de guerra. La ley establece una clara distinción. Los bandidos son simplemente bandidos que deben ser tratados y castigados como criminales. Los rebeldes, por otra parte, constituyen una categoría legal y reconocida, con derechos de beligerantes y algunos otros, incluidos los de recaudar impuestos y el de administrar justicia. Del modo en que se aplicó el principio de "guerra contra los rebeldes", es claro que implicaba una cierta clase de ley internacional intraislámica, reguladora de las relaciones entre Estados musulmanes. Esto dejó convenientemente abierto el interrogante de cuál era el gobernante legítimo y cuál el rebelde, considerándose naturalmente cada uno de los contrincantes como el gobernante legítimo y al contrario como rebelde. Esto posibilitó legalmente las relaciones entre los Estados musulmanes, en tiempos de paz y en tiempos de guerra, e hizo que los acuerdos entre ellos fueran válidos y de obligado cumplimiento.

Puede ser útil poner un ejemplo. El Tratado de Amasya, firmado en 1555 entre el Sah de Persia y el Sultán de Turquía al final de una larga guerra, es aceptado generalmente por los historiadores como uno de los tratados internacionales más importantes de Oriente Medio de esa época. No obstante, si se examinan las compilaciones de tratados otomanos publicados o en los archivos, el Tratado de Amasya no se encuentra entre ellos. Hasta fecha muy reciente, estas compilaciones de tratados sólo han conservado los tratados entre el Imperio otomano y los Estados cristianos. Éstos eran una realidad legal. El otro Estado musulmán no era una realidad legal. Desde el punto de vista del Sultán, el Sah era un rebelde; desde el punto de vista del Sah, el Sultán era el rebelde, y ambos estaban de acuerdo en dejar la cuestión abierta. Un manual otomano sobre el arte de la escritura proporciona dos documentos relevantes. El primero, encabezado apropiadamente como "Una carta de súplica", pretende provenir del Sah, pero había sido obviamente redactado por un funcionario otomano. A éste, el Sultán responde benevolentemente en lo que se presenta como una afirmación unilateral de su parte, pero que, de hecho, incorpora los términos del acuerdo. Sin duda alguna, no existía un documento equivalente del lado persa.

El mundo islámico, que se halla ahora en su siglo XV, comprende mil millones de personas y una extensa área en muchos Continentes. Con el colapso en 1918 del último gran Imperio islámico universal, el de los otomanos, se abandonó por un tiempo el sueño de la unidad, y los musulmanes intentaron adaptarse a las nuevas circunstancias. El problema no era totalmente nuevo. Desde los días de la caída del primer califato, los pueblos musulmanes habían sido divididos de hecho, aunque no en teoría, en entidades políticas separadas, habían creado instituciones políticas y se habían organizado para emprender la acción política. ¿Cómo lo hicieron?

La respuesta a estas preguntas puede encontrarse en algunos hábitos e instituciones profundamente arraigados en el pasado y aún muy activas en la actualidad. Una de ellas es el Estado: no la nación ni el país, sino el Estado mismo, el poder integrado y coercitivo de la comunidad y el centro nervioso de intereses y actividades interrelacionadas e interactuantes que lo controla. Otro es el ejército, del que el Estado depende para su supervivencia.

Los ejércitos del Islam se formaban tradicionalmente a base de esclavos y reclutamientos tribales. Estos últimos normalmente se hacían con voluntarios a corto plazo; los primeros, desde los clásicos mamelucos hasta los jenízaros otomanos, eran extranjeros. En ambos casos no tenían ningún contacto con las masas de la población urbana y campesina.

La introducción de la práctica europea del reclutamiento militar a principios del siglo XIX llevó a campesinos y ciudadanos a mantener por primera vez una relación continua y cercana con el Estado y con quienes ejercían la autoridad estatal. Anteriormente, su experiencia directa de la autoridad del Estado se había limitado a la recaudación de impuestos y al cumplimiento de la ley. Ambas actividades exigían obediencia, pero ninguna de ellas exigía ni inspiraba sentimiento alguno de lealtad. El reclutamiento militar, la experiencia del Estado por parte del hombre ordinario, adquiría una dimensión totalmente nueva. A través del servicio militar obligatorio, la gente ordinaria se convertía por primera vez en parte del aparato del Estado y, también por primera vez, se relacionaba con personas y lugares fuera de su aldea o fuera de su vecindario inmediato. La necesidad de oficiales, especialmente de cabos y sargentos, proporcionó a algunos la oportunidad, y a muchos más la esperanza, de participar en el ejercicio de la autoridad estatal. Inventos como los uniformes y las insignias, los himnos y las banderas, proporcionaron una forma simbólica a esta nueva identidad común.

El nuevo ejército necesitaba un nuevo tipo de oficiales, y el nuevo Estado, cantidades cada vez más vastas de funcionarios. Para proveérselos, el Estado se implicó por primera vez en la educación, servicio que anteriormente era brindado y dirigido por los hombres de religión y financiado por la beneficencia discrecional de príncipes y de otras personas acaudaladas. Los titulados de las nuevas Escuelas y Academias entraron en su mayoría al servicio del Estado, como funcionarios civiles o como militares. Ése era el objetivo para el que habían sido creadas y ésa era también la ambición de sus alumnos. Por un tiempo, incluso los titulados de las nuevas Escuelas de Medicina intentaban encontrar empleo como funcionarios; sólo los menos afortunados practicaban de hecho la Medicina.

Todo esto trajo consigo un aumento significativo del alfabetismo, lo que contribuyó al mismo tiempo al nacimiento de los medios de comunicación, que fomentaron a su vez el alfabetismo. Las primeras improntas de Oriente Medio fueron judías y, posteriormente, cristianas; los primeros periódicos de la región fueron productos e instrumentos de la Revolución Francesa, publicados por la Embajada de Francia en Estambul y la Administración napoleónica en Egipto. Algunos otros diarios y periódicos les siguieron, principalmente debido al impulso europeo y a las misiones cristianas, aunque con un número muy limitado de lectores y poco impacto. A lo largo del siglo XIX, fueron completamente eclipsados por las nuevas gacetas y periódicos publicados, primero, en Egipto y Turquía y, después, en toda la región. Al principio, eran empresas estatales, implantadas y dirigidas para cumplir objetivos estatales. En un editorial de 1832, la Gaceta otomana oficial explicaba que esta publicación era la sucesora natural de una larga línea de historiógrafos imperiales y que servía el mismo objetivo: «Hacer conocer la verdadera naturaleza de los acontecimientos y el propósito real de los actos y órdenes del gobierno», para evitar los conceptos erróneos y anticiparse a las críticas desinformadas. Incluso cuando se establecieron posteriormente medios de difusión privados, éstos permanecieron bajo el control o la supervisión estatal. Hoy día siguen estándolo la mayoría de los países de la región.

La circulación de periódicos y, en general, la comunicación entre diferentes partes de la región, recibieron un gran impulso cuando, en 1834, el gobierno otomano estableció un servicio postal. La llegada del telégrafo en 1855 —debido a las necesidades de la guerra de Crimea— y la construcción del primer ferrocarril en 1866 contribuyeron a extender y consolidar el poder del Estado.

En el siglo XX, los periódicos y la prensa impresa en general fueron complementadas, primero por la radio y, después por la televisión. Gracias a éstas, se reforzó más aún el control del Estado sobre las mentes y los sentimientos de sus ciudadanos; sin embargo, con el desarrollo de las emisiones internacionales, este control también fue por primera vez seriamente desafiado. La revolución de las comunicaciones está agudizando este desafío.

Al igual que los ejércitos y los ministerios, los periódicos y las emisoras de radio oficiales no tenían como objetivo inmediato servir al país, a la nación ni a la comunidad. Servían al Estado, por el que habían sido a menudo creados, mantenidos y normalmente controlados. El Estado, las más de las veces, significaba el gobernante y el pequeño grupo de personas que le ayudaban en el ejercicio de su poder autocrático.

La lealtad a las dinastías ha sido una poderosa fuerza en la historia de Oriente Medio y frecuentemente ha adquirido una connotación religiosa. El Mesías prometido de los judíos tenía que pertenecer a la Casa de David, y el *saoshyant* de Irán, provenir de la semilla sagrada de Zoroastro. Los musulmanes otorgan en general un respeto especial a los descendientes del Profeta; los chiíes creen que el liderazgo de la comunidad islámica pertenece por derecho a estos descendientes y que los gobernantes musulmanes que no tengan esta ascendencia son usurpadores o, en el mejor de los casos y al principio al menos, sustitutos temporales. Los sunníes rechazaban en teoría el principio hereditario de liderazgo de la comunidad, el califato y establecieron una regulación electiva. No obstante, en la práctica, el primer califato electivo acabó en una sucesión de regicidios y de guerras civiles, y la soberanía se hizo dinástica en prácticamente casi todos los estados musulmanes. Incluso en las repúblicas supuestamente revolucionarias actuales, gobernantes como Saddam Hussein en Irak y Hafez al-Assad en Siria están preparando a sus hijos para sucederles*. A veces, el nombre dinástico se extendió al Estado, al país e incluso a la nacionalidad. El ejemplo mejor conocido del pasado es el Imperio otomano; en la actualidad, la monarquía saudí. Ambas dinastías han tomado sus nombres del fundador de la casa reinante.

Desde hace ya muchos siglos y en la mayor parte de la región hasta hoy día, sólo ha habido dos formas de cambiar el gobierno. Una ha sido la sucesión dentro de una familia gobernante; la otra, la destitución y sustitución del gobernante por medio de la amenaza de fuerza. La sucesión dinástica fue hasta los tiempos modernos el único título generalmente aceptado de legitimidad. Quienes accedían por la fuerza han intentado normalmente lograr el mismo tipo de legitimidad para sus propios sucesores. Con excepción de las Ca-

---

* En el caso de Hafez al-Assad y tras su reciente defunción (10-6-2000) ya le ha sucedido su hijo [*N. del T.*].

sas reales de Marruecos y Jordania, ambas descendientes del Profeta, la mayoría de las monarquías del mundo árabe desde el fin del Califato han sido fundadas o tomadas por la fuerza por gobernadores rebeldes, oficiales desleales, príncipes impacientes o jefes tribales turbulentos. La Edad contemporánea ha añadido un nuevo fenómeno importante sorprendente: el liderazgo revolucionario hereditario.

La gran fuerza de la monarquía para determinar la lealtad, y con ella la identidad, consiste en que ofrece estabilidad y continuidad. Más concretamente, proporciona una forma de sucesión pacífica y reconocida. El gobierno dinástico europeo de primogenitura no ha sido normalmente seguido en las monarquías musulmanas, donde la práctica más habitual de cada uno de sus titulares era nombrar un heredero apropiado entre los miembros de su familia. El sucesor podía ser, y frecuentemente era, un hermano, un sobrino o incluso un primo. La herencia y la elección siguieron siendo las únicas formas de sucesión legítima y se mantuvieron durante largos períodos de tiempo. Donde estas formas han sido corrompidas o sustituidas por la fuerza, sólo permanece la violencia: la toma del poder por medio de la conspiración, el asesinato, el golpe de Estado o la insurrección armada. La elección, conocida en teoría, pero nunca practicada de hecho, parecía ofrecer otra vía.

En las Repúblicas modernas actuales, elecciones celebradas a intervalos regulados por la ley y sometidas a reglas fijas aseguran la sucesión pacífica. La democracia electoral en Oriente Medio ha tenido una historia breve y accidentada. Floreció por un breve período de tiempo en el Líbano, pero terminó con la invasión extranjera y disensiones internas. Continúa funcionando en Turquía y en Israel, aunque en ambos países se halla sometida a diferentes tipos de amenazas. La República Islámica de Irán celebra elecciones regulares para la presidencia y el Parlamento, y éstas son limpiamente disputadas. Sin embargo, los candidatos a ambas han de ser examinados y aprobados por un Comité de expertos religiosos, y el presidente electo ocupa el tercer puesto en la jerarquía gobernante, tras dos cargos superiores que ejercen un control ejecutivo total. A pesar de todas estas restricciones, el sistema iraní permite probablemente más libertad de debate y disensión que la mayoría de los países de la región.

Egipto ha desarrollado un sistema único y singular, una especie de presidencia monárquica, combinada con un sistema cuasiparlamentario y cuasielectoral. Como la presidencia ha evolucionado desde la Revolución de 1952-1954, todos los presidentes eligen y designan a su sucesor, no como era costumbre en el pasado dentro de una sola familia real, principesca o de jeques, sino entre el grupo dominante de dignatarios. Algunos Estados han experimentado prudentemente a tener instituciones constituidas por elección. En otras partes, la mayoría de la región se halla dividida entre monarquías, tiranías y algunos regímenes que combinan rasgos de ambas.

Un rasgo notable de la Edad contemporánea y de los cambios que la modernización ha traído al Islam ha sido el fortalecimiento y no el debilitamiento del Estado como foco de actividad. Una de sus causas es la existencia de un importante desarrollo interno. En la sociedad islámica tradicional, el poder del Estado se hallaba limitado en la teoría y en la práctica. Existe una tendencia común a creer que la tradición política islámica conduce a un gobierno despótico, e incluso arbitrario, y este punto de vista puede parecer que recibe cierta confirmación por los acontecimientos recientes. Sin embargo, se basa en una lectura equivocada de la historia y de la ley islámicas. El Estado islámico tradicional puede haber sido autocrático, pero no despótico. El poder del soberano se hallaba restringido por algunos factores, unos legales y otros sociales. Estaba limitado en principio por la Ley sagrada que, por ser de origen divino, precede y gobierna al Estado. El Estado y el soberano, según este principio, se hallan sometidos a la ley y, en este sentido, se hallan establecidos y vienen legitimados por la ley y no al revés, como en algunos sistemas.

Además de este límite teórico, siempre había restricciones prácticas. En las sociedades islámicas tradicionales, existían muchos intereses muy entrelazados y también poderes intermedios que imponían límites efectivos a la capacidad del Estado de controlar a sus súbditos. Entre ellos se encontraban, en todas las épocas y en todos los lugares, las instituciones militares y religiosas. En el siglo XVIII y a principios del siglo XIX, es decir en el período inmediatamente anterior a la modernización, también solían encontrarse entre estos límites la aristocracia rural y el "patriciado" urbano. Con el proceso de modernización del mundo islámico, estos poderes intermedios han sido debilitados o suprimidos uno a uno, dejando al Estado con un grado de control autocrático sobre sus súbditos mucho mayor de lo que nunca ejerció en las sociedades islámicas tradicionales. Aunque, por un lado los poderes limitadores han menguado o desaparecido, el Estado tiene ahora a su disposición todo el aparato moderno de dominación. El resultado es que los Estados islámicos actuales, incluso aquellos que afirman ser progresivos y democráticos, son —en sus asuntos domésticos al menos— considerablemente más fuertes que las denominadas tiranías del pasado.

Esto puede ayudarnos a entender otro fenómeno bastante sorprendente del mundo reciente y actual de Oriente Medio: la extraordinaria persistencia de los Estados una vez creados. Antes de la Primera guerra mundial, existían en realidad sólo dos Estados en Oriente Medio, o podríamos decir dos y medio o quizá, dos y tres cuartos. Los dos eran, por supuesto, las monarquías supervivientes de Turquía e Irán. Ninguna de las dos fueron concebidas como Estados-nación en el sentido moderno occidental, sino como Imperios musulmanes universales, y sólo en tiempos comparativamente recientes empezaron a adoptar términos nacionales y territoriales en su protocolo y en su lenguaje oficial.

El medio Estado es Egipto. Desde el siglo X en adelante, Egipto, que anteriormente había sido una provincia del Imperio de los Califas, se convirtió en la sede de un poder musulmán independiente que gobernó Siria, Palestina y el oeste de Arabia, así como el Valle del Nilo en diversas ocasiones. Los gobernantes y soldados eran normalmente de cualquier otro lugar —beréberes, kurdos, turcos circasianos...—, pero su Administración, que garantizaba la supervivencia y la estabilidad del reino, era abrumadoramente egipcia.

La conquista otomana de 1517 acabó con la independencia de Egipto; en 1882, la ocupación británica lo convirtió en país vasallo de un poder imperial europeo. Sin embargo, a pesar de la soberanía externa y de la ocupación extranjera, los egipcios conservaron un buen grado de autonomía en sus asuntos internos. Bajo el remoto control otomano y, después, bajo el control británico algo menos lejano, Egipto continuó funcionando como una entidad política, con un soberano, un gobierno y un funcionariado con sede en el Valle del Nilo, que administraban lo que, en la práctica, aunque no nominalmente, equivalía a un Estado egipcio. El Estado moderno de Egipto, bajo la monarquía y después bajo la república, no es pues una creación reciente, sino el resultado de un largo proceso de evolución y experiencia políticas.

Otro Estado con una tradición de semiindependencia y de autonomía interna es el Líbano. En un examen superficial, el Líbano parecería ser uno de los numerosos Estados construido a partir de los escombros del Imperio otomano al término de la Primera guerra mundial. Pero el Líbano se diferenciaba notablemente de los demás, ya que estaba basado en una tradición establecida y viva de autonomía y en un sentido de singularidad mantenido durante siglos. Éste no era el denominado "Gran Líbano" diseñado por los franceses como apoyo a su propia hegemonía; el "Pequeño Líbano" consistía en la montaña, con un rectángulo desigual de territorio, que tenía sus límites al sur de Trípoli hasta el norte de Sidón y que se extendía hacia el interior. Su población era predominantemente cristiana, mayoritariamente maronita, con minorías de drusos y chiíes. Esta región ha disfrutado de un amplio grado de autonomía bajo jefes locales, autonomía que fue generalmente respetada por los otomanos, y su población había creado una forma de vida característica. Los maronitas, pertenecientes a la Iglesia Uniata en comunión con Roma, habían mantenido desde hacía tiempo contacto con la Europa cristiana. Desde 1861 hasta la Primera guerra mundial, el Líbano fue gobernado por un régimen especial conocido como *Règlement organique*, con un Consejo administrativo elegido y presidido por un gobernador cristiano (no libanés). Tras el desmoronamiento del Imperio otomano y la instalación del Mandato francés, los nuevos gobernantes no restablecieron el *Règlement organique*; en su lugar, añadieron un cierto número de distritos vecinos al territorio libanés original. La intención fue sin duda fortalecer la base libanesa, aumentando su dimensión territorial; el efecto conseguido a largo plazo fue dividirla y debilitarla, al aumentar su población.

Otro área de autoindependencia establecida desde hacía tiempo fue Arabia. Nominalmente bajo la soberanía otomana, se permitía que la mayor parte de la península se rigiera por sus propios

mecanismos y fuera gobernada por dinastías locales, mayoritariamente de origen tribal. Al igual que la Media Luna de las tierras
fértiles, adquirió su independencia por el desmoronamiento de los
Imperios, pero tanto las fronteras como las formas de los Estados
resultantes fueron conformados por la acción de la política árabe y
no por la acción imperial.

El resto de Oriente Medio no había tenido la experiencia de
constituir un Estado independiente, ni de ejercer la soberanía política por un largo período de tiempo. Las naciones que vivían allí
habían fundido sus identidades en lealtades dinásticas y comunales
más amplias; los países en los que se asentaban no eran sino provincias imperiales; sus mismos nombres y fronteras se hallaban sometidas a cambios frecuentes y, con excepción de Egipto, tenían
muy poco significado histórico e incluso muy poca precisión geográfica.

Como consecuencia de las dos Guerras mundiales y de la extensión y consecutiva retirada del poder imperial europeo, se establecieron toda una serie de Estados nuevos, con fronteras e incluso
con identidades en gran medida diseñadas por la Administración
colonial y la diplomacia imperial. Igualmente, también se dejaron
que funcionasen sus estructuras e infraestructuras. Los años treinta y cuarenta llevaron de Europa nuevos modelos de gobierno: el
Partido y el líder. Los partidos políticos habían aparecido en diversos países de Oriente Medio durante breves intervalos de democracia parlamentaria, introducida por movimientos revolucionarios en Irán y Turquía y por gobiernos extranjeros en Egipto y en la
Media Luna de las tierras fértiles. El sistema de partido único
como elemento central del aparato gubernamental —el Partido comunista en la Unión Soviética, el Partido fascista en Italia, el Partido nazi en Alemania— era algo nuevo. Alemania e Italia eran consideradas como modelos de una lucha lograda por la unificación
nacional. Muchos miraban hacia ellas como modelos para conse-
guir y ejercer el poder en el Estado nacional. Esta ideología alcanzó
su apogeo en el Partido Baas, fundado en 1941 en la Siria controlada por el Régimen de Vichy para organizar el apoyo al régimen
Pro-Eje de Rashid Alí en Irak. Ramas rivales del Partido Baas gobiernan ambos países en la actualidad y apoyan a sus respectivos

líderes, Saddam Hussein y Hafez al-Assad. Al igual que sus predecesores europeos en el liderazgo hace tiempo desaparecidos, cada uno de ellos en su país es la verdadera encarnación del Estado, y la lealtad al mismo constituye la definición esencial de la pertenencia a la comunidad.

El Partido comunista soviético sobrevivió mucho tiempo a los modelos fascistas italiano y alemán, y, en la segunda mitad del siglo XX el socialismo, en una forma u otra, se convirtió en la ideología predominante. Aunque el socialismo no hizo nada para desarrollar la economía, reforzó enormemente el poder del Estado sobre sus ciudadanos.

Uno de los rasgos más extraordinarios del Oriente Medio contemporáneo es, sin duda, esta fuerza de los Estados y su capacidad para resistir a las presiones y para desintegrarse en sus componentes locales, o para desvanecerse en alguna unión más amplia. Algunos de estos nuevos Estados se basaban en auténticas entidades; otros eran totalmente artificiales. Sin embargo, a pesar del fuerte impulso ideológico hacia la unificación que surgió del panarabismo, ninguno de estos Estados árabes ha desaparecido, con una excepción. Por artificial y antinatural que pueda parecer, por ajeno a sus orígenes, por antiguas que sean las culturas sobre las que se sobreponen, los Estados, incluso el más inverosímil de ellos, han mostrado una extraordinaria capacidad de autoconservación y supervivencia, a menudo en circunstancias muy adversas. Ha habido muchos intentos para unir, o al menos para asociar, dos o más Estados árabes. Ninguno de estos intentos ha durado hasta la fecha mucho tiempo. Incluso la unión de Yemen del Norte y Yemen del Sur —históricamente un solo país, dividido por la ocupación británica de Adén— ha demostrado obviamente ser extremadamente dificultosa. En fechas anteriores, el fracaso de los intentos de unidad árabe podría ser —y de hecho fue— atribuida a la influencia exterior. La observación de los intentos más recientes ilustra que, cualquiera que haya sido el rol de la influencia exterior en el pasado, ya no constituye una explicación adecuada en el presente. Las barreras a una unidad árabe mayor surgen de dentro y no de fuera del mundo árabe, y el fracaso de las fusiones atestigua la notable persistencia del poder creciente del mismo Estado como factor político.

Tal vez, el ejemplo más espectacular de la eficacia de la lealtad al Estado fuese el fracaso, tanto de Irak como de Irán, en subvertir a sus enemigos durante la primera Guerra del Golfo. Los árabes de Irán, al igual que los shiíes de Irak, se resistieron a las llamadas a los sentimientos nacionales o sectarios y permanecieron leales a su país y a su gobierno.

Un ejemplo más negativo de la primacía del Estado en la definición de la identidad y de la lealtad lo proporciona el destino de los refugiados palestinos en 1948 y con posterioridad a esta fecha. En Jordania —la otra mitad del anterior Mandato palestino—, la Ley de las Nacionalidades de 1954 confirió la ciudadanía jordana a todo el que tuviera ciudadanía palestina antes del término del Mandato y residiera en el reino jordano desde entonces, "con excepción de los judíos". En otros Estados árabes donde los palestinos encontraron refugio, éstos y sus descendientes nacidos en aquéllos siguen siendo refugiados hasta la tercera generación, es decir, extranjeros apátridas. El fallecido P. J. Vatikiotis señaló en cierta ocasión que el núcleo del problema palestino en su última fase no era tanto el de un pueblo en búsqueda de país, como el de una élite política en búsqueda de un Estado. El reasentamiento en 1947 de muchos millones de refugiados en India y Pakistán, así como la absorción, pocos años antes, de millones de desplazados alemanes y polacos por Alemania occidental y Polonia respectivamente, reflejan percepciones diferentes del significado relativo del concepto de pueblo, nación y Estado, resultantes de experiencias históricas del subcontinente indio y de la Europa central y del Este. La implicación de Naciones Unidas en el caso palestino, y no en los demás casos, puede también haber contribuido a esta diferencia.

Una razón de la fuerza del Estado es las oportunidades que brinda a aquellos que lo controlan. Cada uno de estos Estados ha desarrollado a lo largo de los años una nueva élite gobernante de la que Adolphus Slade, uno de los observadores occidentales más agudos de su época de la evolución de Oriente Medio, señaló: «El Estado es la propiedad de la nueva nobleza»[3].

---

[3] *Turkey and the Crimean War* (1862), Londres, p. 32.

Otra razón aún más convincente, eficaz incluso respecto a aquellos que extraen poco beneficio del Estado, es el miedo a lo que pueda suceder cuando éste se desintegra en sus elementos constitutivos. Esto sucedió durante la guerra civil del Líbano; también fue un riesgo en Irak en el período subsiguiente a la Guerra del Golfo. Existen otros países en los que esta posibilidad amenazadora es claramente visible. Los horrores de la guerra civil libanesa —situación en la que, según la broma libanesa más amarga de la época, incluso la ley de la jungla no se respetaba— se conocen suficientemente para actuar como una advertencia terrible. En países como Irak, en el que la mayor parte de los ingresos nacionales provienen de una sola fuente, los derechos del petróleo, y en el que la riqueza resultante es controlada y dispensada por el gobierno, esta fragmentación es menos probable. El poder centralizador del dinero es reforzado por la fuerza armada superior que este dinero compra para el gobierno central. En países inestables que no disponen de esta ventaja, o que la han perdido, la fragmentación y la guerra civil constituyen un peligro siempre presente.

7. SÍMBOLOS

El mundo moderno está lleno de símbolos de identidad, tanto visuales como auditivos. Las naciones poseen banderas e himnos, y los miembros de la comunidad internacional se hallan representados, en una diversidad de contextos, por toda una colección de pájaros y animales, la mayoría de ellos fieros y peligrosos, como leones, águilas, dragones y osos, o menos truculentos, como el gallo. Existen también plantas que cumplen un propósito similar, como la rosa, el trébol, el cardo y la hoja de arce. Los emblemas también pueden expresar diferencias doctrinales y eclesiales, como el cisma entre las Iglesias Oriental y Occidental. La adhesión a una u otra se simboliza a través de las formas diferentes que tiene la cruz griega y la cruz latina. En el mundo occidental, y actualmente también en otras partes, un enorme número de asociaciones voluntarias —colegios, sociedades, partidos políticos, empresas, sindicatos, clubes deportivos— poseen sus emblemas distintivos, insignias o incluso gorras, camisetas y corbatas, mediante los que se identifican los miembros para distinguirse entre sí.

En Occidente, este lenguaje simbólico de identidad y reconocimiento tiene su origen en viejas raíces y es el resultado de una larga evolución. En el Oriente Medio contemporáneo, una gran parte del mismo es nuevo, a veces impuesto, y por lo general copiado de fuera. La introducción de himnos nacionales y las bandas que los tocan datan de principios del siglo XIX, cuando el sultán reformador otomano Mahmud II, dentro del proceso de modernización de sus fuerzas armadas, pidió al embajador de Cerdeña en Estambul que le proporcionara un director de banda. La persona escogida fue Giuseppe Donizetti, hermano del famoso Gaetano. Varios visitantes occidentales atestiguan su éxito en formar y dirigir lo que oficialmente se designó como la "música imperial otomana". Actualmente, todos los Estados soberanos de Oriente Medio, como en cualquier otra parte, poseen su himno nacional.

Otra importación occidental fue la bandera nacional, que simboliza la identidad nacional en dibujo y color, lo mismo que el himno nacional la simboliza en toques de trompeta y batir de tambores. En cierto modo se conocían escudos de armas en tiempos más antiguos. En el Egipto y en la Siria medievales, los sultanes y los grandes emires solían tener una especie de emblema o insignia, conocido en árabe como *rank*, que probablemente procede del término persa *rang*, que simplemente significa color. Estos emblemas se utilizaban de formas diversas: acuñados en monedas, esculpidos en edificios, tejidos, grabados o de cualquier otro modo exhibidos en telas, trabajos en metal y otros objetos. Pero rara vez se mencionan en escritos históricos y parecen no haber tenido significado político, y ni siquiera gran significado heráldico. En el Oriente Medio islámico, el uso de estandartes y banderas de batalla se halla atestiguado desde los primeros tiempos. Habitualmente consistían en una pieza de tela de un solo color. A veces, representaban a un gobernante concreto o, con más frecuencia, a una dinastía. Así pues, tradicionalmente la bandera de los omeyas era blanca, la de los abbasíes, negra, y la de la Casa del Profeta, verde. Estos tres colores, que representan las tres principales dinastías árabes, se combinan de formas diversas en las banderas de muchos Estados árabes actuales.

Hoy día, todos los Estados de Oriente Medio, incluidos los emiratos patriarcales, poseen una bandera nacional. La mayoría de éstas, al igual que las banderas de las naciones occidentales, consisten en colores seleccionados y dispuestos en rectángulos y triángulos; las banderas nacionales y sus colores desempeñan cada vez un papel más importante en una amplia gama de acontecimientos públicos. Un uso muy popular en Oriente Medio del simbolismo y de las imágenes de emblemas es el ceremonial, que podría afirmarse que posee casi un carácter de conjuro, de pisotear y quemar las banderas de las naciones más desfavorecidas.

Algunas, como las banderas occidentales, se sirven de lo que puede percibirse como emblemas característicos e identificadores. A primera vista, éstos parecen ser abrumadoramente religiosos. La bandera de Israel incluye la estrella de seis puntas, conocida para los judíos como el escudo de David, reconocido desde hace mucho tiempo como emblema judío antes de ser incorporado a la bandera del Estado de Israel, que es de nueva creación. La bandera de Arabia Saudí, con su escueta yuxtaposición de una espada desenvainada y el credo musulmán, simboliza vívidamente una interpretación del Islam. Los turcos, seguidos por algunos, aunque no por todos los países musulmanes, incorporan la media luna, generalmente considerada hoy día como el emblema del Islam. Algunos han visto esta utilización de la media luna como una afirmación del carácter central del Islam en su identidad; otros consideran que no significa más que el uso de la cruz y diversos derivados de la misma en las banderas de naciones cristianas tan poco fanáticas como la británica y las escandinavas. Igualmente, el escudo de David en la bandera de Israel puede ser religioso para algunos ciudadanos; para otros, no representa tanto la religión como el carácter del pueblo judío, que resurge tras la larga utilización de este emblema por parte de los nazis, sus precursores e imitadores, como estigma de inferioridad.

Todos estos usos y sus diversas interpretaciones están basadas en la presunción de que la media luna y el escudo de David son emblemas de los credos musulmán y judío, que tienen el mismo significado para musulmanes y judíos que el que tiene la cruz para los cristianos. Esta presunción carece de base, tanto histórica como teológicamente. Para los cristianos, la cruz es una evocación muy poderosa, que simboliza el mismo núcleo de su identidad religiosa: el dogma central de su fe, el acontecimiento central de su historia. Ni la media luna, ni el escudo de David tienen, ni han tenido nunca, tal significado. Ambos se utilizaban simplemente como decoración; ambos se utilizaban por personas de diferentes religiones. La estrella de seis puntas aparece muy a menudo como motivo decorativo en la arquitectura musulmana, en países geográficamente tan al Oeste como Marruecos y tan al Este como Pakistán. La media luna, a veces con una estrella de seis puntas (o cinco o siete), aparece en el Irán preislámico y también en los restos arqueológicos romanos y bizantinos. Tanto la media luna como la estrella aparecen a veces en contextos religiosos musulmanes junto con otros motivos, pero carecían de especial significado religioso.

La sacralización, por llamarla de algún modo, de estos dos emblemas, se debió a los cristianos, que caen en el error humano, por otra parte muy común, de atribuir sus propias ideas y hábitos a los demás. Durante mucho tiempo, los cristianos se refirieron a los musulmanes como mahometanos, en la creencia errónea de que Mohamed es para los musulmanes lo que Cristo para los cristianos. Sirviéndose de una falsa analogía similar, atribuyeron a la media luna y al escudo de David un lugar equivalente al de la cruz entre ellos mismos. Los musulmanes nunca aceptaron el uso del término mahometano, que para ellos sería inapropiado y blasfemo. Sin embargo, aceptaron la media luna.

Este proceso se remonta cuando menos al siglo XVI. En los cuadros que representan la gran victoria naval de Lepanto de los cristianos sobre los turcos en 1571, las naves cristianas enarbolan la cruz y las naves musulmanas, la media luna. Este emblema apareció muy frecuentemente en la decoración musulmana, incluida sin duda la de las naves, y fue un error natural dar por sentado que era un emblema islámico. No obstante, a pesar de todo fue un error. La indicación más clara de que en el siglo XVI la media luna seguía siendo sólo un motivo decorativo y no un emblema religioso es un par de pantalones adornado con medias lunas, que se conserva en el palacio museo Topkapi de Estambul y que había llevado anteriormente el sultán Solimán el Magnífico. Éste es sin duda un muy improbable uso de un emblema religioso sagrado.

Con el tiempo, en un mundo dominado por actitudes occidentales y, por ello, en cierta medida cristianas, tanto musulmanes como judíos aceptaron y adoptaron los emblemas religiosos que se les habían asignado y, en la actualidad, son universalmente reconocidos por los seguidores de ambas religiones.

Aunque las banderas y los emblemas del Estado y de la Iglesia son ajenos a la tradición de Oriente Medio, la práctica de indicar la identidad, como afirmación y reconocimiento mutuo, mediante formas de vestir diferentes, es muy vieja en la región y sobrevive todavía. A veces se impuso desde arriba una marca de identidad en trajes y vestidos para indicar —de una forma clara e inmediatamente reconocible— la diferencia entre gobernantes y gobernados. Pero más bien parece, a partir de fuentes históricas recogidas, que tales instrucciones eran más bien pasadas por alto que aplicadas. En general, la afirmación de identidad a través del atuendo surgió de la necesidad interna, más que de la presión externa. Campesinos y pastores, miembros de tribus rivales, judíos y paganos, cristianos y musulmanes, así como otros muchos, afirmaban orgullosamente las diferencias de identidad por su modo de vestir, su calzado y, más especialmente, su tocado.

Todo esto se consideraba una obligación social y, a veces, religiosa. Ya en el siglo VII a. C., un profeta advierte a los judíos del castigo que Dios va a infligir a «todos los que visten vestido extranjero» (Sofonías 1: 8). Posteriormente, tanto las autoridades rabínicas como islámicas repetían sus instrucciones a los creyentes para que mantuvieran una clara diferencia con los demás en el modo de vestir, así como en creencias y prácticas. El tocado de un hombre era especialmente importante como indicador de su religión, su afiliación y, a veces, también de su estatus social y profesional. Hacia la época otomana, ya se había convertido en una práctica esculpir en la lápida de la sepultura una representación del tocado característico que el fallecido había llevado en vida. Así pues, se podía fácilmente identificar la tumba de un cadí, un oficial jenízaro, un funcionario de la Puerta Sublime y similares.

Los comienzos de la occidentalización a principios del siglo XIX otorgaron una nueva importancia de manifestación simbólica al modo de vestir. En el nuevo ejército de estilo occidental, los soldados llevaban guerreras, pantalones y botas de estilo occidental, e incluso sus caballos llevaban arreos y guarniciones occidentales, en lugar de los tradicionales. Sólo el tocado se conservó como último bastión del viejo orden. El turbante había adquirido de hecho y desde hacía tiempo un significado especial. Una tradición atribuida al Profeta define el turbante como la barrera entre la fe y la falta de fe. Más comúnmente se utilizó como signo de distinción entre los profesionales de la religión y el resto de la comunidad. En Turquía, con las reformas de Kemal Atatürk, incluso este último bastión sucumbió a la reforma, y los turbantes, feces y otros tocados tradicionales fueron sustituidos por una gran variedad de gorras y sombreros de estilo europeo.

Para algunos de los movimientos actuales de renacimiento religioso, tanto musulmanes como judíos, el retorno a los vestidos y accesorios tradicionales ha adquirido un significado simbólico similar. Un pequeño ejemplo es la adopción del traje hasídico por los nuevos devotos judíos en Israel, aquellos que, según la frase comúnmente aceptada, "regresan en arrepentimiento". Otro es el nuevo significado de la corbata, evitada por los musulmanes piadosos, que visten por otra parte chaquetas, camisas y pantalones occidentales. En una curiosa contrapartida de la anterior sacralización cristiana de la media luna, la corbata —quizá a causa de su forma vagamente cruciforme— se ha convertido para algunos musulmanes en un emblema cristiano y, por ello, en un símbolo de obediencia a la hegemonía occidental.

Para las mujeres, la revolución del vestido fue más espectacular y también más peligrosa. En algunas partes del mundo islámico, especialmente en Irak y en Afganistán, sigue siéndolo hoy día. Dos prendas han adquirido una importancia simbólica especial: el velo, que oculta la cara, y el pañuelo, que oculta el pelo. Para las mujeres en Oriente, son emblemas; para las piadosas, significa sumisión; para las emancipadas, una represión. Para las mujeres musulmanas de Occidente, velo y pañuelo se han convertido a veces en blasones de orgullosa afirmación de la identidad.

8. EXTRANJEROS E INFIELES

Una parte esencial de cualquier definición de la identidad es la línea que divide el Yo del Otro, al "de dentro" de al "de afuera". Diferentes definiciones de identidad exigirán diferentes líneas divisorias, y éstas podrán variar en momentos diferentes, solaparse y entrecruzarse. Pero allí donde puedan trazarse, siempre hay, al menos en la mente de las personas, una clara división entre "nosotros" y "ellos". La definición del Otro es una parte esencial de la definición del Yo.

En nuestro mundo moderno, el único criterio universalmente aceptado de definición y diferenciación políticas es el proporcionado por el Estado-nación. Todos los hombres y todas las mujeres son divididos en ciudadanos y extranjeros, y la distinción entre éstos viene marcada por la ley, que se aplica en la práctica y se acepta como algo legítimo. Existen algunas otras distinciones que se producen entre ciudadanos y, a este respecto, entre extranjeros, que también pueden ser a veces un asunto de hecho. Pero estas otras distinciones son, por así decir, furtivas y desaprobadas socialmente. En los países civilizados al menos, carecen de sanción legal.

La barrera legal entre ciudadano y extranjero es permeable y puede cruzarse a través de un proceso conocido actualmente como naturalización. En esto, difiere significativamente de los criterios más primitivos, pero que aún se aplican ampliamente, de parentesco y de pertenencia a una etnia o a una raza, pero se parece a la distinción que establecen las religiones, que también —para algunas, pero no para todas— puede atravesarse mediante el proceso de conversión.

En la actualidad y, de hecho, en el pasado reciente, el Oriente Medio y, en general, el mundo islámico, han aceptado, al menos legal y formalmente, el patrón moderno occidental de identidad y diferencia en función de la ciudadanía. El mundo islámico se halla dividido hoy día en un cierto número de naciones, en la mayoría de las cuales los nativos no musulmanes son ciudadanos, pero los musulmanes no ciudadanos son extranjeros. Existe también un amplio y creciente número de musulmanes que viven como minorías en países con mayorías no musulmanas de Asia y África, y últimamente también en Europa y en el Continente americano. Para estas minorías, especialmente en el Occidente democrático, surge de una forma nueva y sin precedentes el interrogante de las relaciones entre los musulmanes y los demás.

Pero el viejo sentido de identidad religiosa no se borró. De hecho, sobrevivió, con mayor intensidad que en Europa, en primer lugar, porque el cambio era mucho más reciente y, en segundo lugar, porque el predominio original de la identidad y de la lealtad religiosas era mucho más profundo. En los últimos años hemos visto una reafirmación de las actitudes y de los principios islámicos, principalmente, por supuesto, por parte de los gobernantes del Irán revolucionario, pero también por parte de grupos importantes e influyentes de personas en otros países. Este resurgimiento del islam también implica internamente una reafirmación de las percepciones clásicas islámicas del lugar que ocupa la religión para determinar la identidad social y política, es decir, una reafirmación del islam como definición principal de identidad y de fuente de legitimidad para los musulmanes. Cada vez más nos encontramos con que en los países musulmanes, y no sólo en Irán, son las pautas, los argumentos y el vocabulario islámicos los que se utilizan, bien para defender o para desafiar a un gobierno, ya sea para justificar la legitimidad de un régimen existente, o para formular una crítica de dicho régimen y ofrecer una alternativa al mismo. Para muchos, el islam se ha convertido de nuevo en el criterio principal de distinción entre el hermano y el extranjero. En la Era de la nacionalidad y del nacionalismo, un musulmán iraquí o egipcio ve a un cristiano iraquí o egipcio como un compatriota que comparte la misma tierra natal y la misma larga y gloriosa historia. En la perspectiva del islam, sus compatriotas cristianos y sus antecesores paganos son ajenos a él, y la única verdadera identidad, así como, por ello, la única verdadera hermandad, es la comunidad de los creyentes.

Por supuesto, esta idea no es nueva. Es fundamental en la doctrina política y legal del islamismo clásico y ha sido afirmada con frecuencia en el siglo XX contra lo que se ha considerado como herejías perturbadoras de los nacionalistas. En 1917, el gran visir del Imperio otomano, Said Halim Pasha, declaró tajantemente: «La patria de un musulmán es cualquier lugar en donde prevalezca la *shari'a*.»[4] La misma idea fue lanzada más recientemente por el fallecido ayatollah Jomeini en su aforismo frecuentemente citado: «En el islam no existen fronteras.» En otras palabras, la identidad y la lealtad islámicas prevalecen sobre las basadas en el país, la nación y el Estado-nación.

Sin embargo, incluso entre los exponentes más extremistas de estos puntos de vista, estas ideas no han sido siempre estrictamente aplicadas. Había, por ejemplo, unas pequeñas islas, las Tonb y la Abumusa en el extremo sur del Golfo pérsico, que habían pertenecido a Arabia, pero que habían sido tomadas y ocupadas por el fallecido Sah de Irán. Después de la revolución iraní, sus antiguos propietarios sugirieron cortésmente que la República Islámica devolviese dichas islas. Todavía no han sido devueltas, ni existe ninguna indicación de que probablemente lo sean. Otro ejemplo: la Constitución de la República Islámica de Irán, que en general es religiosa más que nacional o patriótica en su terminología, establece sin embargo que el presidente de la República debe ser iraní de nacimiento y de origen. Esto es más de lo que exige la Constitución estadounidense, según la cual es suficiente haber nacido en Estados Unidos para ser elegible al cargo de presidente. Que esta restricción en Irán no es sólo teórica fue demostrado hace algunos años, cuando un candidato a la presidencia fue descalificado, porque, aunque había nacido en Irán, tenía orígenes afganos.

Al examinar las percepciones musulmanas del Otro, puede ser útil comparar la visión y las actitudes islámicas con las de las dos religiones emparentadas con el islam en Oriente Medio. El judaísmo, el cristianismo y el islam son tres religiones que están históricamente relacionadas, geográficamente son adyacentes y teológica-

---

[4] Citado en Mahmud Kemal Inal (1940-1953), *Osmanli Devrinde Son Sadriazamlar*, Estambul, p. 1892.

mente afines. Comparadas con las otras grandes religiones del mundo, las diferencias entre sí parecen insignificantes y las semejanzas abrumadoras. Durante la mayor parte de su historia, las tres religiones han sido mucho más conscientes de la presencia de las otras dos que de las restantes religiones del mundo más remotas. Cada una de ellas se ha percatado de los desafíos presentados por las otras dos, y sus relaciones entre ellas han sido envenenadas, no sólo por sus diferencias, sino también, y tal vez más especialmente, por sus semejanzas.

En Occidente se ha convertido actualmente en una costumbre hablar de "la tradición judeocristiana" y, a veces, en contrastarla con lo que se percibe como una tradición diferente islámica. El término es nuevo y, en otros tiempos, probablemente se habría considerado igualmente ofensiva tanto por los judíos como por los cristianos. Pero el término designa un genuino fenómeno histórico y cultural. El cristianismo conservó la Biblia judía y la rebautizó como Antiguo Testamento, añadiéndole un Nuevo Testamento. El islam abandonó ambos. Basta con pensar en la inmensa influencia que ha ejercido el Antiguo Testamento en la literatura, la música y el arte cristianos, para comprobar la importancia de este elemento judeocristiano compartido.

Sin embargo, cuando nos referimos al pasado y no al presente, podría hablarse con igual validez de la tradición judeoislámica o, incluso, de una tradición cristianoislámica. Ambas, judaísmo e islam, son religiones legales, que creen en una ley dictada por Dios, que regula cada aspecto de la vida —pública y privada, civil y penal, doméstica y pública, ritual y dietética—; regulación efectuada por la misma autoridad y con las mismas sanciones. La dicotomía cristiana entre Dios y el César, la Iglesia y el Estado, el Imperio y el sacerdocio es ajena tanto a la tradición judaica como a la islámica. También existe una afinidad teológica judeomusulmana. Judíos y musulmanes concuerdan en un monoteísmo riguroso e inflexible y rechazan las doctrinas cristianas esenciales, que consideran conflictivas con su fe.

Existen otros criterios que situarían al islam y al cristianismo juntos a un lado y al judaísmo solo en el otro. El judaísmo rechaza categóricamente el politeísmo y la idolatría, pero, por otra parte, no reivindica ser la verdad exclusiva. Los monoteístas de todos los pueblos y creencias, según la enseñanza rabínica, tienen su lugar en el mundo que ha de venir. Para los rabinos, el judaísmo es para los judíos y para aquellos que quieran unirse a ellos; nadie tiene la obligación de hacerlo. El judaísmo afirma que sus verdades son universales, pero no exclusivas y, a este respecto, parece más cercano a las religiones de Asia que al islam o al cristianismo. El cristianismo y el islam coincidieron en que sólo existe una revelación final de la verdad de Dios y en que la salvación sólo puede ser lograda a través de dicha verdad, preferiblemente a partir de sus exponentes autorizados. Tanto los cristianos como los musulmanes compartieron este triunfalismo, convencidos respectivamente de que su fe era la única religión verdadera, completa y final, y de que su causa triunfaría inevitablemente. Los musulmanes, al igual que los cristianos, sabían que aquellos que no compartieran sus creencias se quemarían en el fuego eterno del infierno. Pero, a diferencia de los cristianos, no veían la necesidad de anticipar el juicio divino en este mundo.

Ambos poseedores de la última palabra de Dios creían que tenían la obligación de expandir su palabra a toda la humanidad, es decir, convertir a los infieles y crear su propia *oecumene* en este proceso. Las dos religiones lucharon por el mismo mundo mediterráneo como primera etapa hacia la supremacía final. Esto condujo a lo largo de varios siglos a las largas luchas de la *yijad* y de las Cruzadas, de la Conquista y de la Reconquista, a los tres principales ataques de los musulmanes a Europa: los sarracenos en Sicilia y en España, los turcos en la Península balcánica y los tártaros en Rusia; y, por supuesto, al gran contraataque europeo que empezó con la reconquista de las tierras patrias y llegó a establecer Imperios cristianos europeos en la mayoría de los territorios islámicos a partir de la Edad moderna.

A lo largo de la prolongada lucha entre estas reivindicaciones conflictivas, cristianos y musulmanes formaron Imperios; ambos llegaron a gobernar sobre otros pueblos que profesaban religiones diferentes a las suyas y se enfrentaron al problema de qué tratamiento dar a esos súbditos. Hasta fecha reciente, los judíos no se enfrentaron a ese dilema, ya que durante casi todo el período de la

historia cristiana y musulmana fueron un pueblo sometido, y el judaísmo era una religión minoritaria, sin tradición viva de gobierno
sobre los demás. El Estado moderno de Israel, a pesar de ser consti-
tucionalmente laico, aspira al estándar de las democracias liberales
a este respecto y todavía afronta el problema de combinar una identidad religiosa con una forma de gobierno moderna y pluralista.

Las actitudes de las tres religiones entre sí se han visto profundamente afectadas por la secuencia histórica en la que aparecieron.
Para los musulmanes, el judaísmo y el cristianismo eran revelaciones auténticas en su época, pero estaban desfasadas y habían sido
superadas por la revelación final y perfecta que es el islam. Las enseñanzas musulmanas también acusan a los cristianos y a los judíos
de haber fallado en su custodia y haber permitido que las revelaciones que se les había confiado se corrompieran y distorsionaran.
Sin embargo, como religiones precursoras poseedoras de una revelación originalmente auténtica, se permitía a sus fieles practicarlas
y mantener sus lugares de culto bajo la autoridad musulmana,
práctica sometida a la aceptación de determinadas regulaciones
discriminatorias. Con algunas raras excepciones atípicas, esta norma de tolerancia ha sido generalmente observada por los gobiernos musulmanes.

Desde la perspectiva cristiana, el islam era un adversario diferente y mucho más peligroso. A diferencia del judaísmo, era una
religión posterior y no previa y, por ello, necesariamente falsa. El
islam adopta el mismo punto de vista respecto a las religiones postis-
lámicas como el babismo y el bahaísmo. A diferencia del judaísmo,
el islam y el cristianismo representaban una amenaza fundamental,
política y militar, y, durante algún tiempo, intelectual. El judaísmo
sobrevivió en Europa occidental a pesar de las persecuciones y de
las exclusiones. El islam fue extirpado tras la Reconquista. Las no-
ticias que llegan de diversos países europeos sugieren que, incluso
hoy día, algunos cristianos —y postcristianos— tienen dificultad
para tolerar la presencia musulmana en medio de ellos.

Durante ocho siglos de gobierno musulmán en España, tanto el
judaísmo como el cristianismo sobrevivieron y florecieron en alguna y limitada medida. El final de la Reconquista cristiana en 1492
fue seguida en pocos meses por la expulsión de la Península de los

judíos y, pocos años después, por la expulsión de los musulmanes. La identidad restaurada de la España cristiana reconquistada no podía aceptar la presencia de ningún judío ni de ningún musulmán. Los Estados musulmanes, tanto los viejos reinos como los recién conquistados, fueron más tolerantes. Con excepción de Arabia, la tierra santa musulmana, permitieron a los no musulmanes vivir bajo su ley y compartir sus países, aunque no su identidad. De hecho, hasta que se produjo el impacto de las ideas nacionalistas modernas, no se planteó por ninguna de ambas partes el asunto de compartir.

Todo el tema de la tolerancia y de la intolerancia —de la percepción y de la aceptación del Otro definido desde una perspectiva religiosa— se halla aún muy distorsionado, tanto entre los cristianos como entre los musulmanes, debido a la polémica y a la mitología. Los musulmanes denuncian a los cristianos por el fanatismo agresivo de las Cruzadas, olvidándose de que éstas en sí mismas fueron una respuesta aplazada durante mucho tiempo a la *yijad* y un intento de recuperar por medio de la guerra santa y limitada lo que había sido perdido en guerra santa. Los cristianos acusan a los musulmanes de intolerancia, pero olvidan que durante muchos siglos las tierras musulmanas ofrecieron un puerto de refugio a las víctimas de la persecución cristiana, y no sólo a judíos, sino también a cristianos cismáticos o herejes.

Hasta muy recientemente, no ha existido un movimiento equivalente de inmigrantes musulmanes a tierras cristianas, y el producido recientemente tiene otros orígenes y suscita otras cuestiones a los receptores y a los acogidos.

Existen otras dos diferencias importantes entre el islam y las otras dos religiones. La primera consiste en que el islam, desde sus comienzos, percibe la religión como una categoría, como un tipo de fenómeno, y utiliza la palabra *din*, religión, como sustantivo que tiene un plural. En el mismo Corán existe un versículo frecuentemente citado: «Vosotros tenéis vuestra religión y yo la mía» (109: 6), concepto que seguramente habría sido muy extraño para los cristianos de los primeros tiempos. Otro versículo del Corán afirma: «No cabe coacción en religión» (2: 256). Un investigador contemporáneo alemán lo ha interpretado como una expresión de

resignación más que de tolerancia [5], pero la tradición musulmana
lo ha tomado normalmente como una aceptación de la tolerancia y
una prohibición del uso de la fuerza, excepto en determinadas circunstancias bien definidas.

Desde el principio, el islam reconoció que tenía predecesores y
que, algunos, habían sobrevivido a su llegada y eran además contemporáneos. Esto significaba que en las Escrituras musulmanas y
en los textos tradicionales, teológicos y legales más antiguos se habían establecido ciertos principios, determinadas normas, sobre
cómo tratar a aquellos que seguían otras religiones. Este pluralis-
mo forma parte de la Ley Sagrada del islam, y estas normas son en
muchos puntos detalladas y específicas. A diferencia del judaísmo
y del cristianismo, el islam afronta directamente la cuestión de la
tolerancia religiosa y establece tanto la extensión como los límites
de la tolerancia que debe otorgarse a los demás credos religiosos.
Para los musulmanes, el cómo tratar a los que profesan otra religión no es un asunto de opinión o de elección, de interpretaciones
y juicios cambiantes según las circunstancias. Se basa en los textos
sagrados y legales, es decir, en los preceptos santos y en la Ley Sagrada.

Estos textos y leyes establecen distinciones esenciales entre religiones no musulmanas y sus seguidores. La primera y la más fundamental es teológica. Algunas religiones específicas poseen Escrituras sagradas que el islam reconoce como auténticas, o más bien y
para ser precisos, como auténticas en el pasado. A los seguidores
de tres de ellas se les nombra en el Corán: los judíos, los cristianos y
los misteriosos sabeos. En la visión musulmana, el judaísmo y el
cristianismo eran predecesores del islam, fases anteriores en la secuencia de revelaciones proféticas transmitidas por Dios a la humanidad y, por tanto, en cierto sentido pertenecientes al mismo islam. En la lista musulmana de profetas se incluye a Adán, Noé,
Abraham, Ismael, Isaac, Jacob, José, Lot, Moisés, Aaron, David,
Salomón, Jesús, Juan Bautista y otras figuras bíblicas. Las Escrituras reveladas a los judíos y a los cristianos se identifican en el Corán

---

[5] Paret, Rudi (1969), *Der Islam*, 45, 'Sure 2,256: la ikraha fi d-dini. Toleranz
order Resignation?', pp. 299-300.

como las *Tawrat*, es decir, el Pentateuco, transmitido por el profeta Moisés y los Salmos transmitidos por el profeta David. Todos ellos fueron sustituidos y desfasados por la revelación perfecta y final transmitida por el profeta Mohamed y contenida en el Corán. Puesto que los seguidores de estas religiones anteriores habían sido escogidos por Dios para recibir Escrituras auténticas, practican todavía el monoteísmo y respetan un texto sagrado y la Ley santa, se les debe, a pesar de sus errores posteriores, otorgar cierto grado de tolerancia dentro del Estado musulmán, es decir, bajo el gobierno musulmán.

Esa tolerancia se halla definida y limitada por la ley, que somete a sus beneficiarios a regulaciones fiscales y sociales discriminatorias, pero, a cambio, les garantiza el libre ejercicio de sus religiones y, aún más, un amplio grado de autonomía en la conducción de sus asuntos internos. Éstos pueden ejercer el control pleno en asuntos como el matrimonio, el divorcio, la herencia y la educación y, lo que es aún más notable, tienen la potestad de mantener y hacer cumplir sus decisiones, si es necesario recurriendo a los servicios de las autoridades públicas. Puesto que no son musulmanes, no están sujetos a observar normas que vinculan a los musulmanes, pero no a los demás. El islam prohíbe la ingestión de alcohol, pero los cristianos y los judíos son libres de ingerirlo y consumirlo, según la interpretación y la aplicación tradicional de la ley. En la literatura clásica árabe, el convento cristiano figura prominentemente en las canciones de tabernas, puesto que era allí donde los poetas y sus amigos podían ir si querían beber. La palabra *der*, convento o monasterio, adquirió casi el sentido de taberna. En la época otomana, existen órdenes frecuentes dadas a los *cadíes*, o también dadas por ellos, que intentan afrontar el problema que suponía la presencia de huéspedes musulmanes en las bodas judías y cristianas, donde fluía el vino con liberalidad.

Existe una encantadora historia de un derviche que, en la época otomana, había sido encarcelado por comer durante el mes de ayuno del Ramadán. Por supuesto, se trataba de un delito, y por él había sido encarcelado. Los derviches eran conocidos por ser algo laxos en sus prácticas rituales. La historia continúa contándonos cómo el derviche miró al exterior a través de los barrotes de su celda y vio a un hombre en la calle que comía un pincho moruno. Entonces le llamó a voces y le dijo: «¡Eh, tú, es Ramadán! Si alguien te ve comer te meterán en la cárcel conmigo.» El hombre respondió: «No, no te preocupes. Soy cristiano.» El derviche preguntó asombrado: «¿Quieres decir que porque eres cristiano se te permite comer un pincho moruno en la calle?» Y el hombre respondió: «Claro, el Ramadán no se nos aplica a nosotros.» A lo cual el derviche respondió: «Deberías dar gracias a Alá todos los días por no profesar la verdadera fe.»

Algunos gobiernos islámicos han abandonado la vieja tolerancia y están imponiendo la ley religiosa musulmana, incluidas sus disposiciones penales, a todos sus ciudadanos, con independencia de su religión.

A aquellos que profesan una religión que no está especificada como religión legal, es decir que no está reconocida en la Escritura sagrada, no se les otorga la tolerancia del Estado musulmán. Su única posibilidad es la conversión o la muerte, que puede ser conmutada por la esclavitud. Esto no presentaba ningún problema serio para los países de Oriente Medio en las primeras áreas de expansión islámica —la Media Luna de las tierras fértiles, el Norte de África, Sicilia y España—, porque todo el mundo era cristiano o judío. Suscitó algunos problemas en Irán, donde la mayoría de la población era mazdeísta, y más aún cuando los musulmanes llegaron a la India y se enfrentaron a los hindúes, que eran manifiestamente politeístas y parecían ser adoradores de ídolos. Al final, se encontraron fórmulas legales para dar espacio a todos éstos.

Aquellos que, según las normas de la *Sharî'a*, estaban cualificados para beneficiarse de la tolerancia, eran admitidos a la *dimma*, pacto entre el Estado musulmán y la comunidad no musulmana, por la que el Estado concedía ciertos privilegios y la comunidad aceptaba determinadas obligaciones y restricciones. Al miembro de una comunidad en posesión de una *dimma* se le llamaba un *dimmí*. Estas restricciones implicaban algunas limitaciones en la vestimenta que llevaban los *dimmíes*, los animales que podían montar y las armas que podían portar. Existían límites en la construcción y utilización de lugares de culto: las construcciones nunca debían descollar sobre las mezquitas; no podían erigirse nuevas, pero las viejas podían ser restauradas. Por otra parte, los cristianos y los judíos tenían que llevar prendas distintivas o emblemas en su ropa. Éste fue el origen del *ghiyar*, el parche que introdujo por primera vez el califa de Bagdad en el siglo IX y se extendió a Europa —para los judíos— en la Alta Edad Media. A los *dimmíes* se les exigía evitar el ruido y cualquier tipo de exhibición en sus cultos y ceremonias. Los cristianos, por ejemplo, tenían cencerros en lugar de campanas en sus iglesias. Estaban obligados en toda circunstancia a mostrar respeto por el islam y deferencia hacia los musulmanes. La mayoría de estas desventajas eran sociales y simbólicas más que tangibles y prácticas, y los hechos indican que fueron aplicadas intermitentemente y de modo desigual. Al menos en los territorios centrales, muchas de las restricciones sociales eran más a menudo pasadas por alto que aplicadas. La única carga que fue impuesta constantemente a los *dimmíes* fue el *yizya*, un impuesto recaudado anualmente a todo adulto varón sano. Éste se mantuvo en todos los territorios islámicos y en todos los períodos hasta el siglo XIX.

Las normas de la *dimma* condujeron a otra diferencia importante entre el estatus de las minorías religiosas en la cristiandad y en el islam. En el mundo cristiano, el comportamiento de las minorías no cristianas tenía sólo un efecto mínimo y ocasional en el modo en que eran tratadas. Lo más normal era que la elección entre la tolerancia y la intolerancia se decidiera de acuerdo con la lógica interna de la comunidad dominante, y era poco lo que las minorías mismas podían hacer para influir en la decisión hacia una u otra. En el islam, las normas de la *dimma* eran conocidas y bien entendidas, y los *dimmíes* sabían perfectamente que el buen comportamiento era retribuido con la tolerancia y que la mala conducta provocaba represalias. Los efectos de este conocimiento son muy claros en la historia y en los patrones de conducta de las comunidades *dimmíes* y, a veces, de sus descendientes oficialmente emancipados.

La otra clasificación de los no musulmanes es política y militar: aquellos que han sido sometidos y aquellos que todavía no han sido sometidos. El mundo está dividido en la "morada del Islam" y la "morada de la guerra", *dar al-Islam* y *dar al-harb*. *Dar al-Islam* es el conjunto de territorios sobre los que gobierna un gobierno musulmán y en los que prevalece la Ley Sagrada del islam. Los no musulmanes pueden vivir allí por tolerancia de los musulmanes. El mundo externo, que todavía no ha sido sometido, se llama la "morada de la guerra", y estrictamente hablando, se le impone por ley un estado perpetuo de *yijad*, de guerra santa. La ley también disponía que la *yijad* podía ser interrumpida mediante treguas, como y cuando fuera apropiado. De hecho, durante la mayor parte de la historia europea, los períodos de paz y de guerra no fueron enormemente diferentes de los que existieron entre los Estados cristianos de Europa.

Así pues, la ley divide teológicamente a los infieles entre aquellos que poseen un Libro y profesan lo que el islam reconoce como una religión divina y aquellos que no lo poseen; desde el punto de vista político, en *dimmíes*, aquellos que han aceptado la supremacía del Estado musulmán y la primacía de los musulmanes, y los *harbíes*, los habitantes de la *dar al-harb*, la morada de la guerra, que permanecen fuera de la frontera islámica y con los que, por ello, es canónicamente obligatorio, en principio, un estado perpetuo de guerra hasta que todo el mundo sea convertido o sometido.

Con el tiempo, se desarrolló un estatus intermedio, el de visitante temporal, entre el extranjero externo y presunto enemigo, por una parte, y el infiel interno tolerado. Los residentes extranjeros no permanentes podían beneficiarse de un acuerdo entre el Estado musulmán y su propio gobierno. A ese acuerdo se le llamó *aman*, y a aquellos que se beneficiaban de ellos se les llamaba *musta'min*. Pero la "temporalidad" podía convertirse en un período de larga duración, y arreglos cuasipermanentes de este tipo se aprobaban para personas e incluso para Estados. Hacia la época de las Cruzadas, existían colonias de mercaderes cristianos europeos en los puertos musulmanes, que se organizaban como tales bajo sus propios funcionarios consulares y disfrutaban de los privilegios de las comunidades *dimmíes*, pero sin sus desventajas sociales y fiscales. Posteriormente, con el cambio en la relación de poder entre la cristiandad y el Islam, estas exenciones, que en su origen eran otorgadas libremente por el Estado musulmán de acuerdo con la lógica de sus propias instituciones, se convirtieron en un sistema de privilegio e inmunidad extraterritorial, impuesto a la fuerza por una de las partes y resentido amargamente por la otra.

Una definición religiosa de la identidad de grupo suscita inevitablemente la cuestión de otro tipo de otredad, que es crucial en la historia de la cristiandad; la de algún estatus intermedio entre el creyente y el infiel: el cismático, el hereje y el desviado.

La experiencia islámica, tanto en el pasado como en el presente, ofrece muchos grupos de desviados, que diferían de la corriente principal del islam en la fe, en la práctica o en ambas. Existe una literatura polémica muy abundante dirigida contra dichos grupos, que es mucho más extensa y más sofisticada que cualquier polémica dirigida contra los no musulmanes. El desvío era una cuestión grave, porque era peligrosa. Representaba un adversario real. Dichas polémicas se producen principalmente entre sunníes y chiíes, las dos principales divisiones del islam. También se producen en el interior de cada uno de estos dos grupos, entre las diferentes Escuelas o tendencias, y continúan en la actualidad, aunque se iniciaron en los primeros tiempos.

A pesar de estas divisiones, no existe en el islam un verdadero equivalente de cisma o de herejía en el sentido cristiano de estos términos. La palabra árabe moderna para designar la herejía es *hartaqa*. Herejía y herético en árabe moderno son palabras prestadas y parece obvio que, dado el enorme número de grupos desviados que hay en el islam, si los musulmanes hubieran tenido un concepto de herejía, habrían tenido una palabra para la misma. Existen muchos términos para muchas herejías, pero no hay un término para designar la herejía en general.

¿Por qué? Una vez más, es posible ver diversas razones. Cisma significa separación. No existe separación en el sentido de cisma entre las Iglesias griega y romana, porque no hay una autoridad institucional y, por ello, no se plantea la cuestión de obediencia o rechazo. Herejía significa elección; por ello, siendo la naturaleza humana lo que es, queda como término especializado para denotar elección errónea. Esto, hay que repetir, no surge en el islam, porque existe para los musulmanes una considerable libertad de elección en asuntos de fe, dentro de límites muy ampliamente trazados.

A pesar del frecuente desvío y de la represión ocasional, encontramos pocas de las implicaciones legales, teológicas o prácticas de la herejía que se encuentran en el cristianismo. Éstas eran apenas posibles en ausencia de una estructura institucional de autoridades con título legítimo para definir y defender la fe correcta, detectar, corregir y, donde fuera necesario, castigar el error. Todo esto, que es tan característico de algunas Iglesias cristianas, no tuvo un equivalente real en la historia islámica.

Hubo algunas excepciones. En la segunda mitad del siglo VIII, los califas de Bagdad establecieron una especie de Inquisición y emprendieron una inequívoca persecución del maniqueísmo, a lo largo de la cual se detectaron muchos disidentes, no todos ellos maniqueos, que fueron condenados y ejecutados. Poco después, el califa al-Ma'mun (813-833) intentó imponer y hacer cumplir una doctrina teológica oficialmente definida. Pero esto no duró mucho. A finales de la Edad Media y principios de la Edad Moderna, se produjeron persecuciones ocasionales de sunníes en países chiíes, de chiíes en países sunníes y de sufíes en ambos. De vez en cuando, hubo incluso intentos de conversión forzosa de no musulmanes, normalmente por parte de un régimen recién instalado de reformadores militantes. Sin embargo, el uso de la fuerza contra desviados y contra *dimmíes* fue generalmente algo raro, atípico y debido a circunstancias especiales.

Existen otras razones para esta diferencia. El islam no consiste tanto en un asunto de ortodoxia como de ortopraxis. Lo que importa es lo que se hace y no aquello en lo que se cree. Sólo Dios, se razonaba, puede juzgar la sinceridad en la fe. Lo que se hace es un hecho social y concierne a la autoridad constituida. Lo que el islam ha pedido generalmente a sus creyentes no es la exactitud textual en la creencia, sino la lealtad a la comunidad y a su dirigente instituido. Esto ha llevado a una gran tolerancia de la desviación, hasta el momento en que se convierte en deslealtad, rápidamente equiparada a la traición, o cuando se hace sediciosa y subversiva, y se convierte ya en un peligro para el orden político y social existente. Mucho antes de que esto suceda, el que se desvía ha cruzado una frontera; no la que existe entre la ortodoxia y la heterodoxia, que carece relativamente de importancia, sino la que hay entre el islam y la apostasía. Cuando la desviación en la creencia alcanza ese punto, se convierte en una cuestión legal, en un asunto para la acción.

Y la apostasía, según todas las Escuelas de jurisprudencia musulmana, es un delito capital.

Los teólogos siempre han estado listos para denunciar como infieles a aquellos que creen de un modo diferente al de ellos. El gran teólogo y místico al-Ghazali (1059-1111) tiene una frase, más bien sorprendente, en la que habla de los teólogos que lanzan incesantemente acusaciones de infidelidad sobre aquellos que difieren de ellos y a los que llaman infieles. El término que se les atribuye es *takfir*, declarando a alguien como *kafir*, o infiel. Él afirma que dichos teólogos intentan «hacer del paraíso el beneficio de una pequeña camarilla de teólogos»[6]. Pero este tipo de denuncias entre los teólogos tenía muy poco o ningún efecto práctico. Los juristas eran más liberales que los teólogos y no declaraban a nadie *takfir*, con todas sus consecuencias legales de confiscación y muerte, sin una buena razón.

¿Existieron guerras de religión entre estos diferentes grupos? Ha habido muchas guerras intraislámicas en la historia del islam y, en algunas de ellas, las personas que se hallaban en los bandos enfrentados profesaban diferentes formas de islam. Pero no se puede hablar de guerras de religión en el mundo islámico en el mismo sentido en que se utiliza el término atribuyéndolo a las batallas que se produjeron en Europa en los siglos XVI y XVII. Hubo guerras regionales, tribales y dinásticas, con lo que podríamos llamar un matiz religioso. Durante el siglo XVI y un breve período posterior, los sultanes de Turquía y los shas de Persia lucharon por el dominio de Oriente Medio. El sultán era sunní; el sha era chií. Por ello, los chiíes otomanos y los sunníes persas fueron considerados por sus soberanos como potencialmente desleales y, a veces, tratados en consecuencia. Pero hubiera sido una exageración describir esto como una guerra entre sunníes y chiíes. Existieron también otras luchas más o menos religiosas: rebeliones por parte de seudomesías e irrupciones de violencia por parte de supuestos reformadores que llegaban para purificar el islam y cambiar el mundo. Pero la mayoría fueron de escasa duración y tuvieron poco efecto.

---

[6] Abu Muhammad al-Ghazali (1901), *Faysal al-tafriqa bayn al-Islam wa'l-Zandaqa*, Cairo, p. 68.

Algunos fracasaron rápida y simplemente, siendo derrotados y aplastados. Otros lograron un fracaso más complejo, obteniendo el poder y volviendo antes o después a las prácticas de aquellos que habían denunciado y derrocado. La única gran excepción fue la lucha entre el califato sunní abbasí de Bagdad y el califato fatimí ismailí de El Cairo en la Alta Edad Media, pero incluso ésta se convirtió en muy poco tiempo en un conflicto de imperios más que de creencias.

El desacuerdo entre sunníes y chiíes se ha comparado con la división entre protestantes y católicos, analogía que sólo es verdad en un sentido muy amplio y general por la existencia de una división a gran escala entre dos importantes facciones religiosas. La principal diferencia entre sunníes y chiíes no es de doctrina ni de autoridad religiosa. Tuvo su origen en un desacuerdo entre partidos sobre un asunto político: sobre quién debía ser el jefe del Estado y en virtud de qué derecho. La palabra *Shi'a*, en árabe significa partido y se refiere a la *Shi'a t'Ali*, aquellos que creían que Alí, como pariente del Profeta, debía ser su sucesor como califa y cabeza de la comunidad. Los dos grupos evolucionaron en direcciones diferentes, pero las diferencias son principalmente de experiencia, de sensibilidad y de actitudes, más que de doctrina o de creencias. Algunos han visto en el chiísmo una forma de autoafirmación nacional persa, incluso una rebelión persa contra el arabismo sunní. Este punto de vista, popular entre los investigadores europeos en una época en la que las teorías raciales eran todavía influyentes en el pensamiento político de Occidente, es insostenible e inverosímil. Tras la llegada del islam, durante muchos siglos el chiísmo no tuvo una etiqueta territorial ni étnica. Fue llevado a Irán por los árabes, como el mismo islam, y parecería que la mayoría de los musulmanes persas eran sunníes leales. Pero desde el siglo XVI, el chiísmo se convirtió en la religión estatal de Irán, que además era el único Estado importante chií en el mundo islámico. Pero Irán no era sólo un Estado chií militante, sino que además estaba rodeado por todas partes por Estados sunníes —el Imperio otomano al Oeste, los Estados sunníes de Asia central y de la India al Este— y, por tanto, se producía inevitablemente una interpenetración entre la religión chií y la conciencia de identidad cultural y política iraní.

En general, la actitud musulmana hacia las diferencias de creencias o incluso de culto podría calificarse de tolerante. De vez en cuando, especialmente en períodos de tensión o de conflictos internos o externos, se produjeron intentos de definir e imponer una ortodoxia y de excluir a todos aquellos que no se adaptaban a ella. Pero, en general, los musulmanes suscribieron el principio establecido por un respetado teólogo medieval, para el que no puede considerarse como infiel a nadie que rece en dirección a La Meca.

La cuestión de la tolerancia ha adquirido una nueva relevancia en nuestra época. En términos generales y en el mundo occidental, se entiende que significa el otorgamiento de derechos, preferiblemente derechos iguales, a personas que son diferentes. Estos derechos incluyen la libertad de culto, la libertad de organización, la libertad para construir e impulsar lugares de culto, así como diferir de la región mayoritaria o dominante, sin pérdida de estatus civil o político. Para los musulmanes, la tolerancia ha significado algo muy diferente. Todo el concepto de tolerancia es bastante moderno en ambas partes, ya que data del período posterior a las grandes guerras de religión que se libraron en Europa, cuando protestantes y católicos decidieron finalmente que se hacía necesario algún tipo de compromiso, una especie de *modus vivendi*. Anteriormente, la plena tolerancia no había sido considerada como una virtud, sino, por el contrario, como una negligencia en el cumplimiento del deber: el obvio absurdo de conceder los mismos derechos a los que aceptan y a los que rechazan la verdadera fe. Este postulado sería exactamente el mismo cualquiera que fuera la fe que resultara ser verdadera.

No puede haber duda de que, hasta el siglo VII, en su conjunto, el trato dispensado por los gobiernos y poblaciones musulmanes a aquellos que profesaban diferentes creencias era más tolerante y respetuoso que el que era habitual en Europa. El islam había tenido sus persecuciones cuando, por una u otra razón, los gobiernos o poblaciones musulmanes desobedecían las normas de su propia Ley Sagrada y negaban a los seguidores de las religiones sustituidas incluso ese grado de tolerancia que la Ley Sagrada les asigna. Pero no existe nada en la historia islámica que pueda ser comparado con las masacres, expulsiones, inquisiciones y persecuciones que los cristianos infligieron normalmente a los no cristianos y, sobre todo, se infligieron entre sí. En las tierras del islam, la persecución era la excepción; por desgracia, en la cristiandad fue con frecuencia la norma.

La Reforma y las guerras de religión produjeron un cambio fundamental. A partir del siglo XVII, la situación de los no cristianos bajo los gobiernos occidentales cristianos no era peor que la de los *dimmíes* bajo los gobiernos musulmanes y, poco a poco, mejoró considerablemente. Mientras tanto, el deterioro del estatus de los *dimmíes* no era sólo relativo, sino absoluto. Siempre es difícil para los poseedores afortunados de la Verdad tolerar la insensatez y contumacia de aquellos que voluntariamente la rechazan y persisten en sus viejos errores. Sin embargo, es más fácil cuando el convencimiento que se tiene de estar en posesión de la verdad se halla reforzado por un poder laico abrumador: el signo exterior y visible de la aprobación de Dios. Esta tolerancia se hace mucho más difícil cuando no es la Verdad, sino el Error, el que disfruta de las ventajas de la riqueza y del poder, y cuando los propios compatriotas y vecinos infieles, que ya no tienen una actitud adecuadamente sumisa, disfrutan del apoyo y del aliento de fuertes poderes externos comprometidos en diversas formas con la falsa fe. Estos poderes y sus acólitos locales desafiaban entonces la supremacía del creyente, primero en el mundo, después en su propio país y, por último, incluso en su propio hogar, donde su autoridad anteriormente garantizada era cuestionada por mujeres emancipadas e hijos rebeldes, corrompidos todos ellos por las ideas infieles provenientes del exterior.

Durante los siglos XIX y XX, el viejo contrato conocido como la *dimma* quedó roto en la mayor parte del mundo musulmán. Los súbditos cristianos del Estado musulmán y en alguna medida incluso los súbditos judíos, inspirados por ideas liberales occidentales, ya no estaban satisfechos con los derechos garantizados, aunque limitados, que aquélla les confería. Las mayorías y los Estados musulmanes, al sentirse amenazados, vieron incluso en los derechos limitados de la *dimma* un peligro y empezaron a desconfiar de los infieles de su país —que anteriormente eran inofensivos—, considerándoles agentes y emisarios de los más peligrosos infieles del exterior.

A lo largo de este período, la posición de los súbditos no musulmanes mejoró considerablemente sobre el papel. Los gobiernos musulmanes, a veces en respuesta a presiones extranjeras, pero más frecuentemente en respuesta a ideologías nacionalistas y liberales importadas del extranjero, abandonaron gradualmente la teoría y la práctica de la *dimma* y promulgaron nuevas leyes y constituciones, conforme a las cuales, todos los súbditos o, posteriormente ciudadanos, con independencia de la religión, disfrutaban de un estatus igual.

Sin embargo, muy frecuentemente, las minorías religiosas se encontraron de hecho peor que antes. La *dimma* les había otorgado un estatus legal reconocido, establecido nada menos que por la Ley Sagrada, aceptada durante siglos por la población musulmana como parte del orden divino, político y social. Bajo el Imperio otomano, a cristianos y judíos se les permitió no sólo observar sus propias leyes religiosas, sino también hacerlas cumplir. En todas las Iglesias, la ley cristiana prohibía tanto la poligamia como el concubinato. La ley rabínica, tal como se interpretaba en los territorios otomanos, permitía la poligamia, pero no el concubinato. La ley islámica permitía ambos. Las autoridades religiosas cristianas y judías podían juzgar, condenar, sentenciar y castigar a los miembros de sus respectivas comunidades por desobedecer estas normas, aunque dicha desobediencia no constituyera un delito contra las leyes y la moral del Estado y la comunidad dominantes. Poseer una identidad cristiana bajo un sultán implicaba el sometimiento a la autoridad cristiana así como a la autoridad del sultán.

El término de ciudadanos de segunda clase suena mal a oídos occidentales contemporáneos, pero ser un ciudadano de segunda clase, es decir, el que tiene reconocidos y respetados algunos, aunque no todos, de los derechos del ciudadano, es mejor que no ser ciudadano en absoluto, y ésta fue con frecuencia la situación en la que se encontraron las minorías religiosas en las nuevas dictaduras surgidas a partir de las ruinas de los experimentos democráticos. El Imperio otomano clásico permitió que una gran diversidad de religiones y grupos étnicos convivieran juntas en un clima de tolerancia y respeto mutuos, sujetos únicamente a la primacía del islam y de los musulmanes. Los reformadores liberales y los revoluciona-

rios que abolieron el viejo orden y proclamaron la igualdad constitucional para todos los ciudadanos otomanos llevaron finalmente
al imperio otomano a amargas y sangrientas luchas nacionales, las
peores con mucho en su historia de medio milenio.

El Imperio otomano ha desaparecido, pero las cuestiones plan-
teadas en sus décadas finales siguen sin resolver y continúan per-
turbando la vida política de todos los Estados que le han sucedido
en los Balcanes y en el Oriente Medio, así como de otros países
musulmanes que han atravesado procesos de desarrollo paralelos.

El Corán, al igual que otras Escrituras sagradas, proporciona
una gran variedad de orientación y, desde su promulgación, la
gama de elección ha sido ampliada aún más por la experiencia y la
interpretación hecha por muchas generaciones en muy diversos territorios. Existe una tradición en el islam de sometimiento incues-
tionable a la autoridad. Existe igualmente una tradición de rebelión contra la autoridad que se perciba como autoridad injusta o
ilegítima. Ambas tradiciones están firmemente arraigadas en los
textos sagrados y en la tradición; ambas se expandieron y fueron
desarrolladas en la teoría y en la práctica por las siguientes generaciones de musulmanes. Del mismo modo, no es difícil encontrar
una justificación religiosa y jurídica, tanto para la guerra como
para la paz con los infieles. En el Corán, los enemigos de Dios se
designan como infieles y están condenados al fuego del infierno (2:
98; 41: 19, 28). A los creyentes se les ordena «aterrorizar a los enemigos de Dios y a tus enemigos». Pero la lucha no tiene que ser a
muerte. «Si el enemigo se inclina hacia la paz, ¡inclínate tú también
hacia ella! ¡Y confía en Dios!» (8: 60-62). Según un desconcertante
pasaje, repetido en diversas ocasiones en el Corán, «si Dios hubiera querido, habría hecho de los hombres una sola comunidad» (11:
118; 16: 23; 42: 8). Pero por elección de Dios, el mundo se halla dividido en diferentes naciones y religiones, y es Él el que determina
quién abraza la verdad y quién el error. Y en esto existe sin duda
un poderoso argumento para la compasión y la tolerancia.

9. ASPIRACIONES

A diferencia de la India, China o Europa, Oriente Medio no posee una identidad colectiva. Desde los primeros tiempos hasta la actualidad, el patrón ha sido un patrón de diversidad: en religiones, lenguas, cultura y, sobre todo, en la percepción que ha tenido de sí mismo. Actualmente, la adopción general en los países del Este, Oeste, Norte y Sur de Oriente Medio, e incluso del mismo Oriente Medio, de este término sin sentido, sin color, sin forma y, para la mayoría del mundo, inexacto, es la mejor muestra de la falta de una identidad percibida como identidad común en el interior o en el exterior.

Los cuatro procesos consecutivos de helenización, romanización, cristianización e islamización impusieron algún grado de unidad, al menos, en algunas partes de la región, así como algunos elementos de sociedad en ellas. El islam, que fue el primero en abarcar toda la región, el primero en poseer sus principales centros de creatividad y dominio en Oriente Medio, proporcionó a la región la única identidad común que haya conocido nunca. Difícilmente puede sorprender que aquellos que buscan algo más amplio que lealtades regionales, tribales o de facciones, algo más noble que los organismos estatales existentes, puedan responder a la llamada del islam. También se han producido otras llamadas. Durante la mayor parte del siglo XX, dos ideologías, ambas de origen europeo, dominaron el pensamiento y la acción política en Oriente Medio: el socialismo y el nacionalismo. Hoy día, ambas han quedado desfasadas: una por su fracaso, y otra por su éxito. Para la mayoría de los habitantes de Oriente Medio, el socialismo ha sido desacreditado por el desmoronamiento de su superpoder patrocinador, la Unión Soviética y, de un modo más cercano, por los malos resultados de los regímenes socialistas en sus propios países. El nacionalismo no fue tanto desacreditado como sustituido. En todos los países de la región, incluidas actualmente las antiguas posesiones soviéticas, el dominio colonial ha llegado a su término y se ha alcanzado el codiciado objetivo de la independencia soberana. Pero todo esto ha resultado ser un fruto amargo.

En algunos países, el nacionalismo y el socialismo han sido reemplazados por su vástago bastardo: el socialismo nacional, término que puede ser aplicado con razón a las dictaduras de un solo partido que gobiernan Irak y Siria. Al igual que sus predecesores y modelos del Centro y del Sur de Europa, estos dos países han surgido a duras penas de entre las ruinas de democracias fallidas y desmoronadas.

La democracia, en el sentido occidental de la palabra —es decir, un sistema político en el que se celebran elecciones libremente disputadas a intervalos regulares de tiempo y en el que se puede cambiar al gobierno mediante la libre decisión del electorado—, es rara en Oriente Medio. Muchos países de la región celebran elecciones; en parte, porque es el atavío de moda del Estado moderno y, en parte, porque es necesario algún tipo de elección para ser susceptible de ayudas internacionales y de otros beneficios. Sin embargo, en la mayoría de estos regímenes, las elecciones son cambiadas por los gobiernos y no los gobiernos por las elecciones. Sólo existen en la región dos Estados en los que se celebran auténticas elecciones y en los que las elecciones pueden cambiar los gobiernos, y a veces lo son: Turquía e Israel.

La democracia israelí ha sido durante mucho tiempo una especie de anomalía en la región. Este Estado fue fundado por inmigrantes procedentes de Europa, y su carácter europeo se mantuvo, e incluso se acentuó, por el boicot árabe que aisló al Estado judío de casi todas las formas de interacción con sus vecinos. Pero esto está cambiando. Por una parte, los judíos de origen norafricano y de Oriente Medio se han convertido en mayoritarios en la población judía de Israel; por otra, el proceso de paz, a pesar de sus muchas dificultades y reversos, ha flexibilizado las barreras. Israel ha firmado Tratados con dos Estados árabes y mantiene relaciones comerciales con varios otros. Lo más importante de todo es que se halla estrechamente involucrado con los palestinos, y esto, incluso en sus aspectos más negativos, ha puesto sobre aviso a algunos ob servadores palestinos y a otros observadores árabes sobre los méritos de una economía y de una forma de gobierno liberal. Al mismo tiempo, estos cambios están afectando la misma naturaleza de la identidad y de la autoimagen israelí, así como el significado relativo de la fe, de la religión, del Estado y del país.

De mucha mayor relevancia para la experiencia, las necesidades y las posibilidades de la región es el ejemplo de la democracia turca. A principios de la Edad Moderna, cuando los Imperios europeos empezaron a expandirse hacia Oriente Medio, sólo existían dos grandes poderes en la región, Turquía e Irán, y su historia ha sido conformada durante los siglos pasados por la rivalidad y la larga serie de guerras libradas entre sí. A lo largo del período de dominación europea, nunca se perdió por completo la independencia turca e iraní, aunque a menudo fue puesta en peligro y atenuada. Los turcos y los iraníes poseían respectivamente una capital y unas fronteras, aunque estaban amenazadas; también, un gobierno y una estructura estatal, aunque debilitadas. Por ello, ambos poseían lo que un occidental —aunque no en esa época un habitante de Oriente Medio— podría haber llamado un sentido de identidad nacional y, con él, una tradición de aceptación y lealtad entre los gobernados, y de decisión y acción independientes entre los gobernantes. Los fundadores de la Turquía y del Irán modernos de los años veinte tuvieron que luchar para mantener su lugar en el concierto de las naciones; sin embargo, el lugar ya estaba ahí para que ellos lo mantuvieran. Con el fin de la dominación extranjera imperial, ambos países volvieron a asumir su ineludible papel de ser los dos poderes principales de la región.

Hoy día —de nuevo, como en el pasado—, los dos países encarnan dos opciones ideológicas diferentes; esta vez, no entre el islam sunní y chií, sino entre la democracia laica y la teocracia islámica. Ambos son republicanos en la forma y han sido establecidos por líderes carismáticos que derrocaron los regímenes que les precedieron. Kemal Atatürk estableció una democracia laica en sustitución del Sultán; el ayatollah Jomeini fundó una teocracia islámica en sustitución del Sha. Sus enseñanzas y programas, el kemalismo y el jomeinismo, son consideradas por muchos como los dos principales futuros alternativos para la región.

Turquía es una candidata reticente para cualquier rol en Oriente Medio. En un país que posee fronteras a caballo entre Oriente Medio y Europa, su liderazgo político e intelectual optó deliberadamente por Occidente y la identidad occidental. Habiendo sido en otro tiempo el escenario de sus mayores triunfos, el Oriente Medio se ha asociado en el espíritu de los turcos con la decadencia, la derrota y la traición. Occidente, por otra parte, parecía ofrecer los medios de desarrollo económico y de liberación política y social. La revolución de Kemal Atatürk, que acabó con el sultanato otomano y fundó la República de Turquía, dio pasos fundamentales y decisivos en esta dirección.

El laicismo, tal como se interpreta en la República turca, no significó el abandono, y aún menos la supresión, de su credo ancestral. Significó una clara separación entre política y religión, entre el clero islámico y el aparato de gobierno, así como un cambio de la identidad principal, que pasó de la comunidad y la religión como fundamentos de la misma al país y a la nación.

El otro gran cambio fue la introducción de la democracia representativa. Muchos países adoptaron la forma de gobierno constitucional y parlamentario. Éstas fueron siempre de efectividad limitada y, a menudo, de breve duración. En Turquía, a pesar de las encarnizadas luchas y de los muchos reveses, continuó el desarrollo de las instituciones democráticas. Actualmente, sólo Turquía entre los Estados miembros de la Organización de la Conferencia Islámica celebra elecciones regulares y libres, en las que los gobiernos en ejercicio son a veces derrotados y abandonan el poder.

La revolución islámica en Irán presenta un diagnóstico diferente de las enfermedades de la sociedad de Oriente Medio y una prescripción igualmente diferente para su curación. Diagnóstico y prescripción dependen de una definición diferente de la misma naturaleza e identidad del paciente. Al igual que las Revoluciones francesa y rusa y, por el contrario de los diversos golpes de Estado, militares y de partido, que han adoptado el nombre y el estilo de revolución en otras partes de la región, lo que sucedió en Irán fue una auténtica revolución, que expresaba la cólera y las aspiraciones de una vasta mayoría del pueblo y que dio origen a inmensos cambios en todos los aspectos de la vida nacional. El tiempo dirá si estos cambios son para bien o para mal.

Igualmente, como las Revoluciones francesa y rusa, la revolución iraní suscitó una respuesta poderosa en el mundo con el que comparte un universo común de discurso, es decir el mundo del islam. Al principio, se produjo un tremendo entusiasmo en todos los territorios musulmanes, desde el Oeste de África al Sudeste de Asia, así como en la diáspora. Desde entonces, lo mismo que los dirigentes franceses y rusos, los dirigentes revolucionarios iraníes se han enemistado con muchos de sus antiguos seguidores por sus acciones en el interior y en el exterior. Pero todavía hay muchos que están dispuestos a excusar, e incluso a imitar sus pecados, en aras del sueño definitivo de alcanzar una sociedad pura y justa gobernada conforme a la Ley Sagrada del islam.

En Irán existen crecientes signos de tensión, de desilusión cada vez mayor, e incluso de descontento, entre los jóvenes, la mayoría de los cuales han llegado a la edad adulta dentro de la revolución. El imparable avance de las comunicaciones modernas —la televisión vía satélite emite programas reveladores del mundo externo, y el fax, internet y el correo electrónico transmiten mensajes de sedición— está aumentando este descontento, que encuentra su expresión incluso en la limitada libertad que se concede al Parlamento y a los medios de comunicación. Otro signo de desilusión es la atracción cada vez mayor que ejerce en los jóvenes la cultura popular estadounidense: su música, su forma de vestir y, en muchos aspectos sutiles, sus valores. Fue a esta atracción a lo que aludió Jomeini cuando llamó a Estados Unidos "el Gran Satán". Satán, hay que recordar, no es un conquistador, ni un explotador. Es un tentador, un seductor, más peligroso cuando sonríe. Cuando crece y se extiende este descontento, el régimen responde con las clásicas armas de una autocracia sitiada: represión interna, terror y aventurismo en el exterior. Y esto continúa mientras el régimen pueda contar con el dinero del petróleo y la complicidad, o al menos la aquiescencia, de sus socios comerciales extranjeros. Si falla alguno de estos dos pilares, el régimen correrá grave peligro procedente de su propio pueblo.

Ninguno de los dos regímenes —la democracia turca ni el fundamentalismo iraní— es inmune a las acciones del otro. En una elección general celebrada en Turquía en diciembre de 1995, un partido político de ideología fundamentalista islámica ganó el 21% de los votos a escala nacional. Tal vez puedan contarse algunos de éstos como votos de protesta contra los viejos partidos. Pero lo que queda es una afirmación significativa de apoyo al programa fundamentalista; por un tiempo, el juego de la política multipartidista de Turquía permitió al dirigente fundamentalista formar y dirigir una coalición con uno de los partidos laicos. Ésta acabó bajo la presión de los militares, que consideran que preservar la Constitución y, por ende, el laicismo, es una de sus principales tareas. Una oposición religiosa fundamentalista sigue siendo activa tanto en el Parlamento como en el país.

La República Islámica de Irán también posee una Constitución escrita y celebra elecciones regulares; ambos elementos son por igual desconocidos en los preceptos y en la práctica clásica islámica. A las elecciones se presentan partidos diversos, y el debate político es a veces muy vivo. Pero los límites se hallan estrechamente definidos y no permiten ningún cuestionamiento de la base islámica del gobierno. Todos los candidatos son examinados por un Consejo religioso y eliminados de la contienda electoral si no reúnen sus requisitos. Por ello, no hay forma de saber qué porcentaje del electorado iraní votaría por un partido o un programa laico si se le diera la oportunidad. Existen indicios de que éste sería considerable. Tal vez por esta misma razón no se le permite la oportunidad de expresar esta opción. Pero la tensión es palpable y parece que Irán, al igual que Turquía, pero de modo diferente, encarna ambas opciones, una en el poder y la otra en la oposición.

Una diferencia importante entre ambos campos es la imagen que tienen de sí mismos y cómo la proyectan. Los gobernantes de Irán se ven a sí mismos como dirigentes del mundo islámico, de un movimiento por la autorrenovación musulmana y el restablecimiento de la grandeza y de la gloria del islam. A este fin, alientan y promueven movimientos musulmanes radicales en todo el mundo musulmán y entre las minorías musulmanas de Europa, América y otros lugares. Este aliento adopta la forma de dinero e infraestructura, armas y entrenamiento y, a menudo, de dirección estratégica. Los turcos no tienen un programa semejante, sino que se centran en el objeto más modesto de preservar su democracia, agitada y sitiada de sus enemigos internos y externos. Turquía se ve a sí misma como un Estado-nación, con su identidad definida por la lengua, la cultura, las instituciones y, esencialmente, el país. No se presenta a sí misma como ejemplo a los demás, ni —con excepción de alguna ayuda a las Repúblicas turcas de Asia central— proporciona ayuda moral o material a sus partidarios en otros lugares. Sin embargo, el modelo turco no carece de impacto. En dos ocasiones anteriores, los turcos han ejercido un liderazgo en la región: bajo los sultanes otomanos en la *yijad* islámica, y bajo Kemal Atatürk en la autoliberación nacional. Puede que lo ejerzan de nuevo.

Existen ya signos de cambio en diferentes países árabes. Éstos no son todavía totalmente democráticos en el sentido en el que se utiliza esta palabra en Europa y en América, pero representan un progreso considerable en las formas de gobierno habituales respecto a su propio pasado y al presente de sus vecinos. Conceptos occidentales como "derechos humanos" y "participación política" se han debatido cada vez más; a valores islámicos tradicionales como "dignidad" y "consulta" se les ha dado un sentido nuevo. Pasos prudentes hacia la democratización pueden verse en Jordania, Egipto y, en menor medida, en algunos Estados del Golfo. Algunos países celebran actualmente elecciones a las que pueden presentarse candidatos de la oposición. Sin embargo, no existe ningún país árabe en el que pueda cambiarse el gobierno por medio de una elección, pero se está permitiendo un grado creciente de oposición y, con ella, de libertad de expresión. Cierto tipo de elecciones se celebran en muchos otros países, pero habitualmente no son sino un reconocimiento ceremonial de los hechos políticos: el equivalente a una coronación británica o una investidura presidencial estadounidense, pero no es una elección británica ni estadounidense. Los extremos opuestos se reflejaron en las elecciones de 1996 organizadas por el gobierno libanés, por un lado, y la autoridad palestina, por otro. A causa de circunstancias locales, las primeras fueron una ceremonia arreglada de antemano. Sin embargo estas últimas, también por circunstancias locales, fueron probablemente las elecciones más libres y limpias celebradas en el mundo árabe.

El proceso de democratización no se limita a la celebración de elecciones. Existe una creciente libertad de debate en algunos países, y más especialmente en los medios de comunicación árabes exiliados, que son cada vez más importantes. Éstos, a pesar de que se publican en su mayoría en Londres o en París, tienen colaboradores y directores en los países árabes.

La democracia en su forma occidental está progresando entre los árabes. También lo está haciendo el fundamentalismo islámico. En un país, Sudán, los fundamentalistas han tomado el poder y lo están utilizando para librar una *yijad* contra el sur cristiano y animista. En Afganistán, un movimiento religioso —sunní y antiiraní, pero profundamente fundamentalista— ya controla gran parte del país. En otros países, notablemente en Argelia, y en menor medida en Egipto y en reinos y emiratos de Arabia, los fundamentalistas intentan a través del terror y de otros medios derrocar y sustituir a los gobiernos existentes. En Siria son sangrientamente reprimidos. En Jordania y Marruecos han sido en alguna medida integrados en el proceso político. Prácticamente en todos estos países, el fundamentalismo es una fuerza poderosa, y su atractivo es cada vez mayor a medida que crece la decepción con los regímenes existentes. No es en absoluto imposible que en otros países árabes puedan surgir o apoderarse del poder regímenes fundamentalistas. Aquellos que poseen petróleo pueden sobrevivir a la transición; aquellos que no tienen ingresos procedentes del petróleo para amortiguar los rigores de las políticas fundamentalistas, pasarán tiempos más difíciles.

Entre la veintena aproximada de países que constituyen el mundo árabe está emergiendo un patrón común en el que la lealtad se reivindica y se otorga en tres niveles que interactúan a veces en armonía y a veces en conflicto. El nivel inferior podría llamarse, a falta de un término mejor, "local". Puede ser tribal, étnico o, excepcionalmente, nacional; es decir, un grupo que se mantiene unido por un sentimiento de origen común, real o imaginado (no tiene importancia si el hecho es real o imaginado, lo que importa es la convicción de la ascendencia común), que es lo que lo define frente a los demás. Así son las muchas distinciones tribales y de clan que existen entre los mismos árabes. También son de este tipo las distinciones tribales y étnicas que dividen a las únicas minorías étnicas con cierta relevancia en el mundo árabe: los beréberes en el Norte de África, los kurdos en Oriente Próximo y los negros en Mauritania y en Sudán, que constituyen un grupo diferente y diverso.

A veces, el vínculo puede ser sectario o religioso, es decir, la pertenencia a una comunidad religiosa concreta o a un subgrupo dentro de dicha comunidad. Los cristianos del Líbano se subdividen en ortodoxos, católicos y diversos grupos más pequeños, que, a su vez, se subdividen en clanes, familias o facciones. A veces, el vínculo puede ser regional, el que tiene que ver con un lugar, un distrito o una provincia. O, por supuesto, puede ser una combinación de todos estos factores.

Este tipo de entidades tribales, sectarias o regionales pueden conformar o incluso dominar la vida política de un país, al brindar la solidaridad necesaria que permite a un grupo apoderarse del poder y conservarlo. En Irak, por ejemplo, el régimen se ha apoyado ampliamente en personas procedentes de un lugar concreto, la ciudad de Takrit. Siria presenta un patrón algo diferente: una ascendencia que es al mismo tiempo regional y sectaria: la de los alawíes del noroeste. En Yemen podemos ver luchas que se producen entre tres sectas musulmanas rivales, así como conflictos tribales y regionales.

Por encima del nivel local, está lo que podría llamarse el nivel intermedio, el del Estado soberano. La mayoría de los Estados son nuevos y poseen nuevas fronteras, e incluso a veces nuevas identidades. Algunos de ellos se basaban en genuinas entidades históricas; otros fueron totalmente artificiales.

El tercer nivel superior trasciende al Estado soberano y expresa la aspiración hacia una unidad algo mayor, algo más digna y más honorable que la política de alguno de los Estados existentes, que a menudo es más bien mugrienta. Estas entidades más amplias son concebidas en términos nacionales —panturquismo, panarabismo, paniranismo— o en términos religiosos. A este respecto, sólo existe un candidato: el panislamismo, aunque ha sido interpretado de diversas formas. En la actualidad, los movimientos nacionalistas transterritoriales parecen atraer muy poco apoyo. El paniranismo nunca fue una gran fuerza. Fuera de las fronteras de Irán, sólo existen dos poblaciones de habla persa de cierta entidad numérica: en la anterior República soviética de Tadjikistán, y en parte de Afganistán. Ninguna de ellas presenta gran interés y ambas son predominantemente sunníes, un factor de cierta importancia, especialmente bajo los actuales gobernantes de Irán, para quien el poder divisor de la religión es mucho mayor que el poder unificador de la lengua. El panturquismo, sueño imposible mientras la Rusia imperial mantuvo su dominio sobre sus poblaciones turcas, tuvo una cierta oportunidad cuando, al inicio de la revolución bolchevique, el Imperio ruso entró en decadencia y se desmoronó. Dicha oportunidad se cerró cuando el régimen soviético consolidó su dominio sobre los antiguos territorios imperiales. El desmoronamiento de la Unión Soviética no ha conducido hasta ahora a un renacimiento del panturquismo, aunque se han restaurado los lazos culturales y económicos entre los Estados de habla turca y probablemente aumentarán.

El panarabismo, como aspiración, fue con mucho el más poderoso de los tres movimientos y, durante mucho tiempo, fue un principio ideológico sacrosanto en todos los países árabes, que algunos incluso incorporaron en sus Constituciones. Pero cuando los diversos Estados árabes se establecieron más sólidamente y persiguieron sus diversos intereses nacionales con una claridad cada vez mayor, su compromiso con el panarabismo se hizo más superficial. En la actualidad, tras una serie de amargos conflictos interárabes, incluso desaparecen a menudo las habituales afirmaciones de boca para afuera. Podría ser que en algún futuro retornara el panarabismo. Por el momento, el mundo árabe sigue siendo un mosaico de Estados-naciones separadas, vinculadas por la lengua, la cultura, la religión y la historia, pero que no forman un bloque político y carecen de un deseo real de una unión más estrecha.

El panislamismo ha demostrado ser más duradero, a pesar de que está aún lejos de ser victorioso. Entre muchas variedades, han predominado dos tendencias. Una es política en inspiración, a veces diplomática en método y, habitualmente, conservadora en política. La otra es popular, habitualmente radical y a menudo subversiva. Ambas han gozado a veces del apoyo gubernamental; una, por parte de regímenes patriarcales y otra, por parte de regímenes revolucionarios. Ambas han recibido también un apoyo económico significativo por partes de personas privadas, principalmente en Arabia y en el Golfo Pérsico, que combinan una nueva riqueza con viejas aspiraciones. Por supuesto, no existe una clara diferenciación, puesto que los gobiernos intentan explotar en todas partes los movimientos populares, mientras que éstos intentan influir en el gobierno, o incluso controlarlo. A pesar de que ambos tipos de apoyo han tenido hasta ahora sólo un éxito limitado, el nivel de implicación religiosa en la política nacional e internacional —y, por tanto, en la autoidentificación política— es mucho mayor que la de otras religiones. En general el panislamismo diplomático ha demostrado ser, cuando menos, poco convincente, y los intentos que han realizado de vez en cuando algunos gobiernos musulmanes para hacer del islam un principio organizativo de las relaciones internacionales han tenido muy poco éxito.

El islam popular y radical es otro asunto. La actual ola de militancia religiosa, una de tantas en la historia islámica, no ha alcanzado todavía su cresta y puede muy bien sumergir a más países musulmanes antes de agotar su fuerza. No obstante, si las políticas respectivas de los dos países en los que los revolucionarios islámicos han tomado el poder, Irán y Sudán, sirven de orientación, los Estados islámicos no insistirán menos que sus predecesores en su condición de Estados, cada uno con sus propias estructuras e intereses, sus élites y lealtades, así como su propia identidad y voluntad de supervivencia.

En septiembre de 1862, Alí Pasha, en aquella época ministro de Asuntos Exteriores del Imperio otomano, escribió una carta a su embajador en París, en la que presentaba lo que los diplomáticos llaman un *tour d'horizon* [examen general de la situación]. Examinaba la situación diplomática general en Europa, país por país, y finalizaba con Italia, que en aquel tiempo se hallaba inmersa en la lucha para obtener la unificación nacional. Alí Pasha escribió en su carta:

> Italia, que está habitada por una sola raza, que habla la misma lengua y profesa la misma religión, experimenta muchas dificultades en su unificación. Y, por el momento, todo lo que ha logrado es anarquía y

desorden. Juzgue lo que sucedería en Turquía si se diera campo libre a todas las diferentes aspiraciones nacionales... Se necesitaría un siglo y torrentes de sangre para establecer una situación suficientemente estable[7].

Alí Pasha fue un verdadero profeta aunque, de hecho, acertó más en prever el futuro que en descifrar el presente. Ya en su época, estas ideas, que él tenía buenas razones para temer, estaban penetrando en tierras otomanas y empezando su trabajo de desorganización. Desde entonces ha pasado más de un siglo; la sangre sigue corriendo y aún no se ha alcanzado siquiera "una situación suficientemente estable". Todos estos Estados, sea cual sea su verdadera forma o la imagen que tienen de sí mismos, han sido cambiados a diferentes velocidades y de diferentes formas por la modernización, que ha traído consigo un mayor índice de alfabetismo, la revolución de la información y la emancipación y participación de las mujeres durante tanto tiempo aplazada. Todo ello está afectando —y transformará en definitiva—, el modo en que sus habitantes se ven a sí mismos y a los demás y puede conducir incluso al nacimiento de sociedades abiertas y libres. Sin embargo, esto llevará tiempo y, mientras tanto, aquéllos se ven atormentados por la interacción de múltiples identidades frecuentemente en conflicto.

---

[7] 'Ali Pasa'nun Fransuzca bir mektubu' (1953) en *Tarih Dergisi*, 5, ed. M. Cavid Baysun, p. 144.

LECTURAS COMPLEMENTARIAS

La literatura sobre los movimientos nacionalistas, religiosos y los relacionados con ellos de Oriente Medio es muy vasta y, en su mayor parte, fácilmente accesible. Las siguientes sugerencias para complementar la lectura de esta obra incluyen algunas publicaciones importantes recientes, así como otros estudios especializados anteriores, que me han parecido especialmente relevantes.

Ajami, Fouad, *The Dream Palace of the Arabs, a Generation's Odyssey*, Nueva York, 1998.

Güvenç, Bozkurt, «Secular Trends and Turkish Identity», *Perceptions: Journal of International Affairs*, ii, 1997-8, pp. 46-72.

Haarmann, Ulrich W., «Ideology and history, identity and alterity: the Arab image of the Turk from the 'Abbasids to modern Egypt», *International Journal of Middle East Studies*, 20, 1988, pp. 175-196.

—, «Glaubensvolk und Nation im islamischen und lateinischen Mittelalter», en Berlin-Brandenburgische Akademie der Wissenschaften, *Berichte und Abhandlungen*, 2, 1996, Berlín, pp. 161-199.

Kastoryano, Riva, *La France, l'Allemagne et leurs immigrés: négocier l'identité*, París, 1996.

Khalidi, Rashid, *Palestinian Identity: The Construction of Modern National Consciousness*, Nueva York, 1997.

Melloni, Alberto y Gianni La Bella (eds.), *L'Alterità: Concezioni ed esperienze nel cristianesimo contemporaneo*, Bolonia, 1995.

Michalski, Krzystof (ed.), *Identität im Wandel*, Stuttgart, 1995.

Mühlen, Patrik von zur, *Zwischen Hakenkreuz und Sowjetstern: Der Nationalismus der sowjetischen Orientvölker im Zweiten Weltkrieg*, Dusseldorf, 1971.

Rosenthal, Franz, «The Stranger in Medieval Islam», *Arabica*, 44, pp. 35-75, 1997.

Scaraffia, Lucetta, *Rinnegati: per una storia dell'identità occidentale*, Roma-Bari, 1993.

Zerubavel, Yael, *Recovered Roots: Collective Memory and the Making of Israeli National Tradition*, Chicago y Londres, 1995.

MAPAS

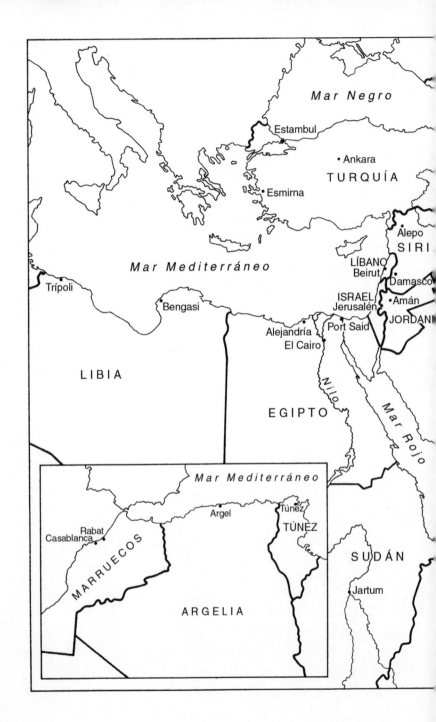

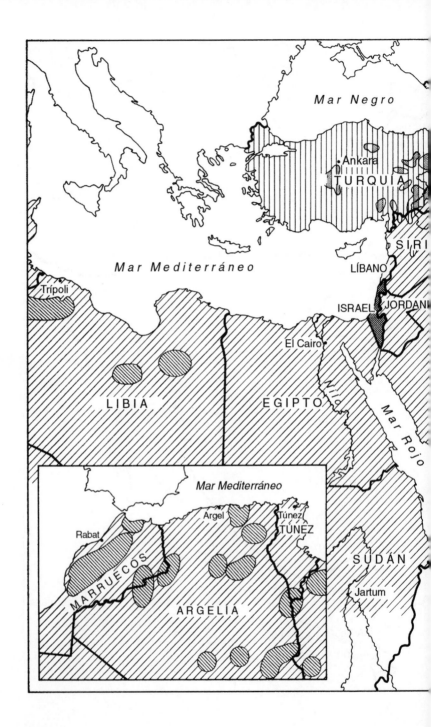

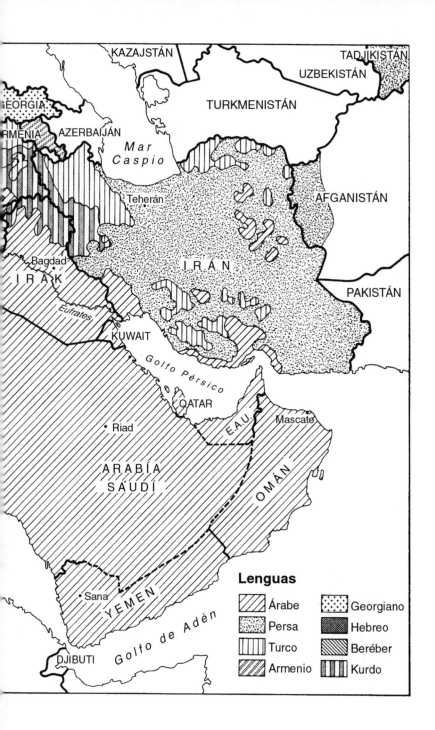

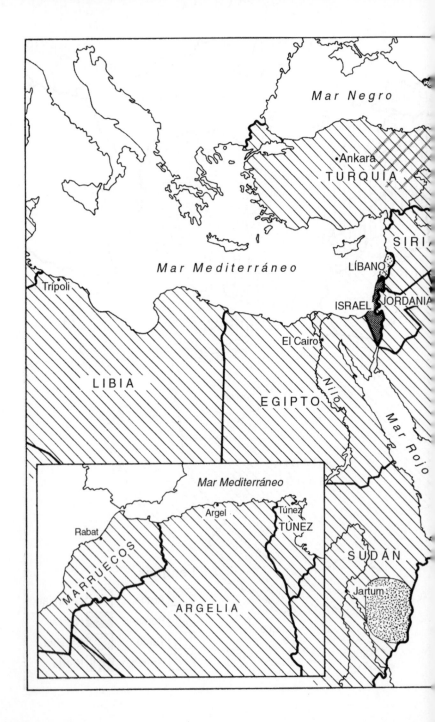

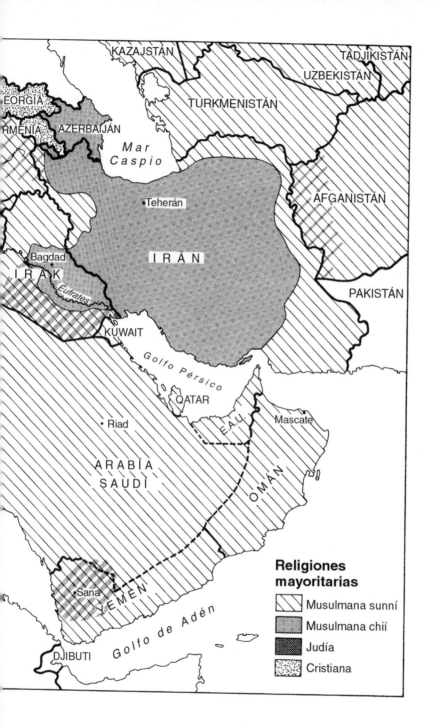

KAZAJSTÁN

TADJIKISTÁN

UZBEKISTÁN

TURKMENISTÁN

EORGIA

RMENIA   AZERBAIJÁN

Mar
Caspio

AFGANISTÁN

•Teherán

I R Á N

Bagdad

PAKISTÁN

I R A K

Eufrates

KUWAIT

Golfo Pérsico

QATAR

• Riad

E.A.U.

Mascate

A R A B I A
S A U D I

O M A N

Y E M E N

•Sana

DJIBUTI

Golfo de Adén

**Religiones
mayoritarias**

Musulmana sunní

Musulmana chií

Judía

Cristiana

ÍNDICE ALFABÉTICO

SOCIOLOGIA Y POLITICA

ABDEL-MALEK, A.—*La dialéctica social*. 408 pp.

ABERCROMBIE, N., y otros—*La tesis de la ideología dominante*. 256 pp.

AI CAMP, R.—*Reclutamiento político en México*. 342 pp.

ALABART, A., GARCIA, S. y GINER, S.—*Clase, poder y ciudadanía*. 272 pp.

AMIN, S.—*Los desafíos de la mundialización*. 308 pp.

AMIN, S.—*El eurocentrismo: crítica de una ideología*. 232 pp.

ARBOS, X., y GINER, S., *La gobernabilidad. Ciudadanía y democracia en la encrucijada mundial*. 128 pp. (2.ª ed.)

BALTA, P.—*El Gran Magreb. Desde la independencia hasta el año 2000*. 336 pp.

BARROSO RIBAL, C.—*¿Para qué sirve la "mili"? Funciones del servicio militar obligatorio en España*. 350 pp.

BERRYMAN, P. H.—*Teología de la liberación*. 200 pp.

BETTELHEIM, CH.—*Las luchas de clases en la URSS. Primer período, 1917-1923*. 536 pp. (3.ª ed.)

BETTELHEIM, CH.—*Las luchas de clases en la URSS. Segundo período, 1923-1930*. 592 pp. (2.ª ed.)

BILBAO, A.—*El accidente de trabajo: entre lo negativo y lo irreformable*. 272 pp.

BOBBIO, N., y MATTEUCCI, N.—*Diccionario de política*.
Vol. 1. *A-J*. 894 PP.
Vol. 2. *L-Z*. 884 pp.
Suplemento. 496 pp.

BOBBIO, N., y MATTEUCCI, N.—*Diccionario de política*. 2 Vols. Nueva edición, revisada y ampliada. Empastado, con estuche. 1.700 pp.

BOURDIEU, P.—*Capital cultural, escuela y espacio social*. 206 pp. (2.ª ed.)

BOURDIEU, P.—*El oficio de sociólogo. Presupuestos epistemológicos*. 372 pp. (3.ª ed.)

CASTELLS, L.—*Modernización y dinámica política en la sociedad guipuzcoana de la Restauración, 1876-1916*. Coedición con la Universidad del País Vasco. 538 pp.

CECEÑA, A. E., y BARREDA, A. (coords.)—*Producción estratégica y hegemonía mundial*. 544 pp.

CELA CONDE, C. J.—*Capitalismo y campesinado en la isla de Mallorca*. 248 pp.

CHAMPAGNE, P., y otros—*Iniciación a la práctica sociológica*. 240 pp.

CHOMSKY, N.—*Pocos prósperos, muchos descontentos*. 122 pp.

CHOMSKY, N.—*Secretos, mentiras y democracia*. 150 pp.

CLAUDIN, F.—*Eurocomunismo y socialismo*. 212 pp. (5.ª ed.)

CLAUDIN, F.—*La oposición en el «socialismo real»*. 400 pp.

CONSEJO DE LA CALIDAD AMBIENTAL Y DEPARTAMENTO DE ESTADO DE LOS ESTADOS UNIDOS—*Futuro global. Tiempo de actuar*. 224 pp.

CORIAT, B.—*El taller y el cronómetro. Ensayo sobre el taylorismo, el fordismo y la producción en masa*. 216 pp. (11.ª ed.)

CORIAT, B.—*El taller y el robot. Ensayos sobre el fordismo y la producción en masa en la era de la electrónica*. 272 pp. (2.ª ed.)

CORIAT, B.—*Pensar al revés. Trabajo y organización en la empresa japonesa*. 168 pp. (2.ª ed.)

DENITCH, B.—*Nacionalismo y etnicidad. La trágica muerte de Yugoslavia*. 224 pp.

DIAZ MARTINEZ, C.—*El presente de su futuro. Modelos de autopercepción y de vida entre los adolescentes españoles*. 320 pp.

DORFMAN, A., y MATTELART, A.—*Para leer al pato Donald*. 168 pp. (26.ª ed.)

ELSTER, J.—*Una introducción a Karl Marx*. 224 pp.

ETIENNE, B.—*El islamismo radical*. 344 pp.

FEITO, R.—*Estructura social contemporánea. Las clases sociales en los países industrializados.* 264 pp. (2.ª ed.)

FERNANDEZ BUEY, F., y RIECHMANN, J.—*Ni tribunos. Ideas y materiales para un programa ecosocialista.*456 pp.

FERNANDEZ DE CASTRO, I.—*Sistema de enseñanza y democracia.* 190 pp.

FOSSAERT, R.—*El mundo en el siglo XXI. Una teoría de los sistemas mundiales.* 464 pp.

FRÖBEL, F., y otros—*La nueva división internacional del trabajo. Paro estructural en los países industrializados e industrialización de los países en desarrollo.* 580 pp.

GALLINO, L.—*Diccionario de sociología.* Empastado. 1.024 pp.

GARCES, J. E.—*Soberanos e intervenidos. Estrategias globales, americanos y españoles.* 600 pp.

GARCIA, S. y LUKES, S. (comps.).—*Ciudadanía: justicia social, identidad y participación.* 304 pp.

GARITAONAINDIA, C.—*La radio en España, 1923-1939. De altavoz musical a arma de propaganda.* 256 pp.

GARRIDO, L. J.—*El partido de la revolución institucionalizada. La formación del nuevo Estado en México (1924-1945).* 384 pp. (3.ª ed.)

GOMEZ BENITO, C.—*Políticos, burócratas y expertos. Un estudio de la política agraria y la sociología rural en España (1936-1959).* 392 pp.

GONZALEZ CASANOVA, P.—*El mundo: situación y alternativas a fines del siglo XX.* 424 pp.

GONZALEZ CASANOVA, P.—*Cultura y creación intelectual en América Latina.* 392 pp.

HALLIDAY, J., y McCORMACK, G.—*El nuevo imperialismo japonés.* 360 pp.

HARNECKER, M.—*América Latina: izquierda y crisis actual.* 320 pp.

HARNECKER, M.—*Estudiantes, cristianos e indígenas en la Revolución.* 272 pp.

HARNECKER, M.—*La izquierda en el umbral del siglo XXI. Haciendo posible lo imposible.* 440 pp. (2.ª ed. 2000)

IBAÑEZ, J.—*Del algoritmo al sujeto. Perspectivas de la investigación social.* 376 pp.

IBAÑEZ, J.—*El regreso del sujeto. La investigación social de segundo orden.* 224 pp.

IBAÑEZ, J.—*Más allá de la sociología. El grupo de discusión: técnica y crítica.* 440 pp. (3.ª ed.)

IBAÑEZ, J.—*Por una sociología de la vida cotidiana.* 328 pp.

JAUREGUI BERECIARTU, G.—*Contra el Estado-Nación. En torno al «hecho» y la «cuestión» nacional.* 260 pp. (2.ª ed.)

KÖNIG, R.—*La familia en nuestro tiempo. Una comparación intercultural.* 196 pp. (2.ª ed.)

LABROUSSE, A.—*La droga, el dinero y las armas.* 464 pp.

LACLAU, E., y MOUFFE, CH.—*Hegemonía y estrategia socialista. Hacia una radicalización de la democracia.* 232 pp.

LAURIN-FRENETTE, N.—*Las teorías funcionalistas de las clases sociales. Sociología e ideología burguesas.* 376 pp. (4.ª ed.)

LEFF, E.—*Ecología y capital. Racionalidad ambiental, democracia participativa y desarrollo sustentable.* 440 pp.

LOMNITZ, L. A. DE—*Cómo sobreviven los marginados.* 232 pp. (12.ª ed.)

LUKES, S.—*El poder. Un enfoque radical.* 96 pp.

MANDEL, E.—*El poder y el dinero. Contribución a la teoría de la posible extinción del estado.* 368 pp.

MARCOU, L.—*El movimiento comunista internacional después de 1945.* 154 pp.

MELOSSI, D.—*El Estado del control social. Un estudio sociológico de los conceptos de estado y control social en la conformación de la democracia.* 304 pp.

MILIBAND, R.—*El estado en la sociedad capitalista.* 288 pp. (13.ª ed.)

MILIBAND, R.—*Socialismo para una época de escépticos.* 232 pp

MORENO, L.—*La federalización de España. Poder político y territorio.* 216 pp.

MOYA, C.—*Sociólogos y sociología.* 304 pp. (8.ª ed.)

NAVARRO, P.—*El holograma social. Una ontología de la socialidad humana.* 416 pp.

OTERO, L.—*La utopía cubana desde adentro. ¿Adónde va Cuba hoy?* 136 pp.

OVEJERO LUCAS, F.—*Intereses de todos, acciones de cada uno. Crisis del socialismo, ecología y emancipación.* 228 pp.

PARAMIO, L.—*Tras el diluvio. La izquierda ante el fin de siglo.* 272 pp.

PARDINAS, F.—*Metodología y técnicas de investigación en ciencias sociales.* 212 pp. Ilustrado. (28.ª ed.)

PATULA, J.—*Europa del Este: del estalinismo a la democracia.* 400 pp.

PETRAS, J.—*¿Imperio o república? Poderío mundial y decadencia nacional de Estados Unidos.* 202 pp.

PICO, J.—*Los límites de la socialdemocracia europea.* 372 pp.

PICO, J.—*Teorías sobre el Estado del Bienestar.* 164 pp. (3.ª ed. 1999)

PINO, C., y ARNAU, A.—*Vivir: un juego de insumisión. Hacia una cultura intersubjetiva de la igualdad.* 360 pp.

PORTELLI, H.—*Gramsci y el bloque histórico.* 162 pp. (12.ª ed.)

POULANTZAS, N.—*Estado, poder y socialismo.* 336 pp. (5.ª ed.)

POULANTZAS, N.—*Fascismo y dictadura.* 440 pp. (16.ª ed.)

POULANTZAS, N.—*La crisis de las dictaduras: Portugal, Grecia, España.* 152 pp. (3.ª ed.)

POULANTZAS, N.—*Las clases sociales en el capitalismo actual.* 316 pp. (8.ª ed.)

POULANTZAS, N.—*Poder político y clases sociales en el Estado capitalista.* 471 pp. (23.ª ed.)

RECALDE DIEZ, J. R.—*La construcción de las naciones.* 496 pp.

REISS, E.—*Una guía para entender a Marx.*

REX, J.—*El conflicto social.* 160 pp.

RODRIGUEZ IBAÑEZ, J. E.—*Teoría crítica y sociología.* 192 pp.

ROUQUIE, A.—*América Latina. Introducción al Extremo Occidente.* 432 pp.

SCHAFF, A.—*Meditaciones sobre el socialismo.* 230 pp.

SILVA MICHELENA, J. A.—*Política y bloques de poder. Crisis en el sistema mundial.* 296 pp. (11.ª ed.)

STERNHELL, Z., y otros—*El nacimiento de la ideología fascista.* 432 pp.

THERBORN, G.—*Ciencia, clase y sociedad. Sobre la formación de la sociología y del materialismo histórico.* 476 pp.

THERBORN, G.—*¿Cómo domina la clase dominante?* 368 pp. (5.ª ed.)

THERBORN, G.—*La ideología del poder y el poder de la ideología.* 112 pp.

VICENS, J.—*El valor de la salud. Una reflexión sociológica sobre la calidad de vida.* 232 pp.

VILAROS, T. M.—*El mono del desencanto. Una crítica cultural de la transición española, 1973-1993.*

VINNAI, G.—*El fútbol como ideología.* 152 pp. (2.ª ed.)

WALLERSTEIN, I.—*El capitalismo histórico.* 112 pp.

WALLERSTEIN, I. (Coord.)— *Abrir las ciencias sociales.* 128 pp.

WEINBAUM, B.—*El curioso noviazgo entre feminismo y socialismo.* 120 pp.

WOLFE, A.—*Los límites de la legitimidad. Las contradicciones políticas del capitalismo contemporáneo.* 408 pp.

WRIGHT, E. O.—*Clase, crisis y estado.* 268 pp.

WRIGHT, E. O.—*Clases.* 392 pp.

ZARAGOZA, A. (comp.)—*Pactos sociales, sindicatos y patronal en España.* 192 pp.